Hanes Atgas

Y Tuduriaid Trafferthus a'r Stiwartiaid Syrffedus

Catrin Stevens

Lluniau Graham Howells

Cyhoeddwyd gan Wasg Gomer,
Llandysul, Ceredigion SA44 4JL

Argraffiad cyntaf – 2006
Ail argraffiad – 2009
Trydydd argraffiad – 2012

ISBN 978 1 84323 516 3

Dymuna'r cyhoeddwyr gydnabod cymorth
Adrannau Cyngor Llyfrau Cymru.

Argraffwyd a rhwymwyd yng Nghymru gan
Wasg Gomer, Llandysul, Ceredigion SA44 4JL

Cynnwys

Cyflwyniad

Mae Hanes yn gallu bod yn ofnadwy o ddiflas ac atgas - yn enwedig pan mae'r athrawon yn mynd ymlaen . . . ac ymlaen . . . ac ymlaen . . . ac ymlaen am frenhinoedd a phobl bwysig oedd yn byw mewn tai mawr crand, yn gwisgo dillad ffasiynol (wel, roedden nhw'n meddwl eu bod nhw'n ffasiynol 'ta beth!) ac yn dweud wrth bawb arall beth i'w wneud.

A phan fydd athrawon atgas yn gofyn cwestiynau dwl fel:

YN FFODUS: erbyn amser y Tuduriaid Trafferthus a'r Stiwartiaid Syrffedus - yn y CYFNOD MODERN CYNNAR - doedd dim brenin na thywysog yng Nghymru.

YN ANFFODUS: Brenhinoedd Lloegr oedd yn rheoli Cymru 'nawr ac roedd llawer o Gymry eisiau mynd i fyw atyn nhw - i Lundain.

Fe allech chi feddwl fod Cymru bron wedi diflannu oddi ar y map.

Ydy hynny'n golygu mai dyna ddiwedd Hanes Cymru? Nac ydy, gwaetha'r modd! Roedd digon o bobl fawr a llawer iawn o bobl gyffredin ddiflas (fel chi a fi) ar ôl o hyd. Na, does dim modd osgoi Hanes atgas yn y Cyfnod Modern Cynnar hyd yn oed.

Disgrifiodd Sais o'r enw Caxton y Cymry cyffredin, diflas (dynion, wrth gwrs) oedd yn byw yng Nghymru ar ddechrau cyfnod y Tuduriaid trafferthus:

(Tybed oedd Caxton wedi bod yng Nghymru erioed?)

Ydych chi eisiau gwybod mwy am y Cymry rhyfedd ac afiach yma?

Darllenwch ymlaen - os ydych chi'n hoffi hanesion hyll a haerllug!

Cwis Cas
am y Cyfnod Modern Cynnar
cyn cychwyn

1. Pryd oedd y Cyfnod Modern Cynnar?

   (a) Ar ôl y Cyfnod Henffasiwn.
   (b) Cyn saith o'r gloch y bore.
   (c) Rhwng tua 1485 a 1688.

2. Faint o waed Cymreig oedd yn Harri VIII?

   (a) Dim dropyn.
   (b) Deg dropyn.
   (c) Peint.

3. Pam fod Mari Tudur yn casáu'r Protestaniaid?

   (a) Am eu bod nhw'n protestio drwy'r amser.
   (b) Am fod Elizabeth, ei chwaer, yn un ohonyn nhw.
   (c) Am ei bod hi'n casáu pawb, beth bynnag.

4. Pam fod y Stiwartiaid mewn stiw drwy'r amser?

(a) Am fod digon o gennin a moron gyda nhw i wneud cawl blasus.
(b) Am fod y brenin Charles I yn cweryla â'r Senedd trwy'r amser.
(c) Doedd dim cyrri i gael bryd hynny.

5. Pwy oedd y Frenhines Mari a'i gŵr William o Oren?

(a) Brenhines (a'i gŵr) oedd yn bwyta orenau trwy'r amser.
(b) Brenhines (a'i gŵr) oedd yn torheulo gormod ac wedi mynd yn lliw oren i gyd.
(c) Brenhines (a'i gŵr) oedd wedi dod draw o Oren yn yr Iseldiroedd i reoli Lloegr a Chymru ar ôl 1688.

Ddim yn gwybod yr atebion? (Twt twt!)

Beth am ofyn i'ch athrawon Hanes? Yn anffodus, fydd dim cliw gyda nhw chwaith. Ond os darllenwch chi'r llyfr atgas yma byddwch chi'n gwybod mwy na nhw, gobeithio.

Dod i 'nabod y Tuduriaid trafferthus a'r Stiwartiaid syrffedus

Er mai hanes atgas Cymru fydd yn y llyfr yma, mae'n rhaid dweud gair hefyd am y brenhinoedd a'r breninesau Tuduraidd trafferthus a Stiwartaidd syrffedus oedd yn rheoli Cymru, Lloegr a'r Alban (ar ôl 1603) yn y CYFNOD MODERN CYNNAR.

Dyma'u llinellau amser arswydus nhw:

Y Tuduriaid trafferthus

Digwyddiadau yn Lloegr	A beth am Gymru?
HARRI VII – HARRI TUDUR (1485–1509) Y cyntaf o'r Tuduriaid trafferthus. ¼ Cymro, ¼ Ffrancwr a ½ Sais. Trechodd e Richard III ym mrwydr Bosworth yn 1485 a dod yn Frenin Lloegr a Chymru. Casglodd e lawer o arian i wneud ei deyrnas yn gryf.	Roedd llawer o'r Cymry yn dwlu ar Harri Tudur. Roedd ei daid (dad-cu) yn dod o Ynys Môn. Felly roedden nhw'n meddwl fod gyda nhw Gymro'n rheoli Lloegr nawr ac y byddai e'n rhoi llawer o sylw i Gymru fach. (Tybed wir?)
HARRI VIII (1509–1547) Brenin cryf a chreulon. Roedd e eisiau mab i fod yn frenin ar ei ôl e. Felly cafodd e 6 gwraig: torrodd e bennau dwy ohonyn nhw, ysgaru dwy, buodd un farw ac roedd yr ola'n fyw pan fuodd e farw (lwcus!).	Yn ôl yr hanes, pan oedd e'n marw gofynnodd Harri VII i'w fab, Harri bach, edrych ar ôl Cymru fach (sy'n awgrymu nad oedd Harri VII ei hunan wedi gwneud hynny).

Digwyddiadau yn Lloegr

Er mwyn gallu cael ysgariad, cafodd e wared â'r eglwys Gatholig a'i Phennaeth – y Pab yn Rhufain – a gwneud ei hun yn Bennaeth ar eglwys newydd Lloegr (dim Eglwys Cymru, sylwch!). Gwariodd e ffortiwn ei dad.

A beth am Gymru?

Ac fe wnaeth Harri VIII hynny – yn ei ffordd fach ddiflas ei hun – achos fe unodd e Gymru a Lloegr trwy'r Deddfau Uno yn 1536. (Ac mae'r Cymry wedi bod yn dadlau am hynny ers amser Harri VIII.)

EDWARD VI (1547–1553)
Bachgen bach gwan naw oed oedd Edward pan ddaeth e'n frenin, ac felly roedd Cynghorwyr yn rheoli yn ei le e. Nawr y Protestaniaid oedd mewn pŵer – a chafodd yr hen arferion Catholig eu stopio. Roedd yn rhaid i bawb addoli yn Saesneg yn Eglwys Loegr.

Buodd Edward farw yn ddim ond 16 oed. (Druan bach!)

Roedd rhai Catholigion yng Nghymru'n drist wrth weld y creiriau'n cael eu dinistrio a Saesneg yn cael ei defnyddio yn yr eglwysi yn lle Lladin. (Doedden nhw ddim yn deall yr un o'r ddwy iaith, beth bynnag!)

Roedd rhai eisiau gwasanaethau eglwysig yn y Gymraeg.

Y Tuduriaid Trafferthus

Digwyddiadau yn Lloegr

MARI I (MARI WAEDLYD) (1553–1558)
Roedd hi'n cefnogi'r Catholigion ac yn briod â Brenin Catholig Sbaen, Phillip. Cafodd 283 o Brotestaniaid eu llosgi i farwolaeth dan Mari. (Efallai mai Mari Losg ddylai hi gael ei galw, nid Mari Waedlyd).

ELIZABETH I (1558–1603)
Oes aur Lloegr. Roedd gan y frenhines Elizabeth wallt coch a thymer tanllyd. Roedd ganddi sawl cariad (mae'n debyg) ond wnaeth hi ddim priodi.
Roedd hi'n dweud ei bod hi'n briod â Lloegr (lwcus i Gymru yntê?). Protestant oedd hi a buodd sawl cynllwyn cas i gael gwared â hi. Y sgandal fwya oedd pan dorrodd hi ben ei chyfnither Mari, Brenhines yr Alban, i ffwrdd. (Rhybudd i bawb arall.) Collodd sawl un o'r Catholigion eu bywydau hefyd. (Elizabeth Waedlyd?)

Enillodd llynges Elizabeth frwydr fawr yn erbyn Armada brenin Sbaen yn 1588.

Roedd Bess (enw'r Cymry arni!) yn hoff iawn o ddramâu Shakespeare (ac mae ei ddramâu e yn dal yn boendod i blant ysgol heddiw).

A beth am Gymru?

Doedd y Cymry druan ddim yn gwybod pa eglwys – y Protestaniaid neu'r Catholigion – i'w chefnogi 'nawr. Cafodd tri Phrotestant eu llosgi yng Nghymru a rhedodd sawl un arall i ffwrdd i fyw ar y cyfandir. (Roedd y tywydd yn well yn y Swisdir, beth bynnag!)

Yna yn Oes Elizabeth rhedodd llawer o'r Catholigion i ffwrdd i'r cyfandir a daeth y Protestaniaid yn ôl. Roedden nhw'n benderfynol o gael gwasanaethau Cymraeg yn yr eglwysi yng Nghymru, ac erbyn 1588 (yr un flwyddyn â'r Armada) roedd William Morgan wedi gorffen cyfieithu ei Feibl enwog. (Trueni nad oedd llawer o bobl yn gallu darllen!)

Y Stiwartiaid Syrffedus

Digwyddiadau yn Lloegr	A beth am Gymru?
JAMES I (a JAMES VI o'r ALBAN) (1603–1625) Doedd dim gŵr na phlant gan Elizabeth, felly roedd yn rhaid gofyn i Frenin yr Alban (mab Mari, Brenhines yr Alban) ddod i reoli Cymru a Lloegr 'nawr (Ha ha! Elizabeth!). Guto Ffowc yn cynllwynio i chwythu'r Senedd i fyny – roedd e eisiau mwy o hawliau i Gatholigion – ond cafodd ei ddal a'i grogi (nid ei losgi!).	Y Cymry'n dwlu ar y Stiwartiaid – achos roedd mam-gu James yn ferch i Harri VII, felly roedd $\frac{1}{32}$ o waed Cymreig ynddo fe. Ond wnaeth James ddim llawer (wel, dim byd a dweud y gwir) dros Gymru (dim ond dechrau Noson Tân Gwyllt wrth gwrs – diolch, Guto).
CHARLES I (1625–1649) Fel ei dad, James, roedd Charles yn credu fod Duw wedi'i ddewis e'n frenin. Felly FE ddylai reoli, NID y Senedd. Cwerylodd e'n gas â'r Senedd a dechreuodd Rhyfel Cartre rhwng y Brenhinwyr a'r Seneddwyr (1642–49). Yn y diwedd collodd Charles a chafodd ei ddienyddio (druan bach) yn Tyburn, Llundain.	Roedd y rhan fwya o Gymry yn cefnogi Charles ac yn ymladd ar ochr y Brenin yn y Rhyfel Cartre. Ond roedd enw'r Cymro John Jones (ie, Cymro o'r enw Jones!) Maesygarnedd ar ddedfryd y Senedd i dorri pen Charles i ffwrdd yn 1649 (dyn pen-derfynol iawn).
CYFNOD Y WERINLYWODRAETH (1649–1660) Y Senedd yn rheoli heb frenin. Oliver Cromwell oedd yr arweinydd cryfa, a chyn bo hir caeodd e'r Senedd a galw'i hunan yn Arglwydd Amddiffynnydd y Weriniaeth.	Er bod hen, hen dad-cu (taid) Oliver yn dod o Lanisien, Caerdydd, doedd y Cymry ddim yn ei hoffi e lawer, yn enwedig pan stopiodd e nhw rhag dathlu'r Nadolig.

Y Stiwartiaid Syrffedus

Digwyddiadau yn Lloegr

(Dyna lond pen!) Cromwell yn marw a'i fab e, Richard (neu Dic) yn rheoli. Ond diflasodd Dic bawb (hyd yn oed fe'i hunan!) a rhedodd e i ffwrdd.

CHARLES II (1660–1685)
Pawb yn falch o weld y 'Brenin Llon' ar yr orsedd a digon o fiwsig a dramâu i'w mwynhau. Rhoiodd e bardwn i'r rhai oedd wedi cefnogi'r Senedd, heblaw y rhai oedd wedi arwyddo dedfryd ddienyddio ei dad, Charles I. 'Sgubodd pla ofnadwy a thân mawr trwy Lundain yn 1665–66. Pan oedd e'n marw trodd Charles 'nôl yn Gatholig! (Slei iawn, Charles!)

JAMES II (1685–1688)
Brawd Charles II ac un o'r Catholigion. Cododd nai iddo fe – Dug Mynyw – mewn gwrthryfel yn erbyn James. Ond methodd y gwrthryfel a chafodd y Dug ei ddienyddio. Doedd James ddim yn boblogaidd o gwbl a bu'n rhaid iddo fe ffoi i Ffrainc. Gofynnodd y Senedd i'w ferch e, Mari (oedd yn Brotestant) a'i gŵr William o Oren ddod draw i reoli yn ei le.

1688–89: Y CHWYLDRO GOGONEDDUS
Dyna ddiwedd y Stiwartiaid syrffedus, anffodus.

A beth am Gymru?

(Dim Siôn Corn, dim coeden, dim presantau – dim hwyl – dim diolch!)

John Jones, Maesygarnedd yn colli'i ben am arwyddo'r ddedfryd i ddienyddio Charles I. Nawr roedd y Piwritaniaid yn cael eu herlid a rhedodd rhai ohonyn nhw i ffwrdd i fyw yn America i gael llonydd. (Roedd hynna'n ddigon pell oddi wrth swyddogion y brenin.)

Roedd y Barnwr George Jeffreys yn dod o gyffiniau Wrecsam, a FE oedd yn cadw trefn ar y wlad ac yn codi ofn ar elynion James. Ar ôl gwrthryfel Dug Mynyw trefnodd e fod 250 yn cael eu crogi a 1000 yn cael eu hanfon yn gaethweision dros y môr i India'r Gorllewin. Buodd Jeffreys ei hunan farw yn y carchar ar ôl i James ffoi i Ffrainc (eitha gwaith ag e!).

Y TUDURIAID TRAFFERTHUS:

Y DDAU HARRI HUNLLEFUS

1. HARRI VII

Cymro twymgalon neu Gymro'n torri calonnau?

Mae Haneswyr mor haerllug. Maen nhw wrth eu bodd yn dadlau a ffraeo o hyd.

A dyna i chi hanes diflas y brenin Harri VII (neu Harri Tudur, fel byddai ei fam yn ei alw e). Fuodd e'n frenin da ar Gymru – neu ddim?

Fuodd e'n frenin twymgalon i'r Cymry – neu'n frenin i dorri'u calonnau nhw?

Yn ôl Sion Tudur (dim perthynas) oedd yn byw tua 100 mlynedd ar ôl Harri:

Ond yn ôl Llywelyn ap Hywel (babi mami):

Ac mae haneswyr yn dal i ddadlau:

Hanesydd o Loegr: Harri VII oedd y peth gore cyn bara sleis i'r Cymry.

Hanesydd o Gymru: Roedd y Cymry'n caru'r Tuduriaid ond oedd y Tuduriaid yn caru Cymru?

Ydych chi wedi cymysgu'n llwyr erbyn hyn? Os felly, bydd yn rhaid i chi benderfynu drosoch chi eich hun – ar ôl i chi ddarllen hanes hyll Harri VII. A dyma'ch cyfle:

Pwy oedd e?
Teulu Truenus y Tuduriaid

Roedd taid (tad-cu i ni'n y De) Harri Tudur – Owain Tudur – yn dipyn o bishyn. Penderfynodd e adael ei gartre ym Mhen-mynydd, Ynys Môn, i wneud ei ffortiwn. (Mae'n siŵr nad oedd ffortiwn i'w gael ar ben mynydd ym Môn.) Cafodd e waith yn gofalu am ddillad y Frenhines Catherine o Vallois (merch brenin Ffrainc). Roedd ei gŵr hi, Harri V, wedi marw.
Un diwrnod edrychodd Catherine allan drwy ffenestr y palas a gweld Owain Tudur yn nofio'n noeth! Syrthiodd hi mewn cariad ag e.

Priododd Owain a Catherine a chael sawl plentyn. Un ohonyn nhw oedd Edmwnd Tudur, a phriododd e Margaret Beaufort (dewis da achos roedd hi'n gyfoethog a chlyfar ac roedd ganddi hi hawl i'r orsedd yn Lloegr). Dim ond 13 oed oedd Margaret pan gafodd hi fabi bach, Harri Tudur, yng Nghastell Penfro. Ond buodd ei dad e, Edmwnd, farw cyn i Harri bach gael ei eni (feri sad!).

Roedd yn gyfnod cythryblus, gydag un teulu – teulu Lancastr (teulu'r rhosyn coch) – yn ymladd yn erbyn teulu arall – yr Iorciaid (teulu'r rhosyn gwyn) am goron Lloegr.

Dyma Ryfel y Rhosynnau:

Roedd teulu Harri'n perthyn i deulu Lancastr (y rhosyn coch). Ym mrwydr fawr Mortimer Cross, rhwng Lancastr a Iorc, cafodd Owain Tudur ei ddal ac roedden nhw'n mynd i'w ddienyddio fe. Roedd e'n ddyn balch iawn, a phan oedd ei ben ar y bloc, dwedodd e:

Roedd dynes ryfedd iawn yn gwylio Owain yn cael ei ddienyddio. Cymerodd hi ben Owain, ei olchi e'n lân, cribo'i wallt a'i farf e a rhoi'r pen ar groes y farchnad. Yna, goleuodd hi 100 o ganhwyllau a'u rhoi nhw o gwmpas y pen.

Brwydr Bril Bosworth

Erbyn 1485 roedd y Brenin Richard III (teulu Iorc) yn amhoblogaidd iawn. Roedd llawer yn barod i gefnogi Harri Tudur fel brenin yn ei le, ond roedd Harri'n byw yn Llydaw gyda'i Wncwl, Siaspar Tudur. Penderfynodd y ddau hwylio 'nôl i goncro Lloegr (a Chymru). Hwylion nhw i Gymru fach gynta.

Y Ffans Ffantastig

Roedd y Cymry wrth eu bodd fod Harri wedi cyrraedd o'r diwedd. Roedden nhw wedi bod yn edrych ymlaen at gael 'Cymro' yn frenin ar Gymru a Lloegr. Rhedon nhw i ymuno â byddin Harri pan laniodd e yn sir Benfro. Roedd y beirdd wedi bod yn dweud wrth bawb am gefnogi Harri, a hynny mewn cerddi clyfar iawn. Roedd y cerddi mewn côd, ac yn anffodus doedd neb, bron, yn eu deall nhw (dim hyd yn oed y beirdd!).

Dyma ddarn bach o gerdd gan Robin Ddu (enw twp – mae pawb yn gwybod fod robin yn goch). Cofiwch mai 'tarw' oedd un enw am Harri a 'gwâdd' neu dwrch daear oedd enw'r beirdd am Richard III, y brenin drwg.

Llyma'r amser a'n gweryd,
*I'r **tarw bach** anturio byd.*
*Y **wâdd** a gwymp o wedd gwâr*
A'i ddial drwy y ddaear.

Ddim yn deall (fel ro'n i'n amau!)?

Dyma beth o'r ystyr: 'Mae'n hen bryd i Harri, y tarw bach, fentro allan i'r byd a bydd Richard, y wâdd, yn cwympo i'r ddaear'.

(Gallech chi drio ysgrifennu cerdd mewn côd fel hyn am eich ysgol. Pa anifail fyddai yr athro / athrawes Hanes tybed?)

Y daith drwy Gymru . . . i Bosworth

Ar ôl cyrraedd Penfro aeth Harri ddim yn syth i Loegr. Penderfynodd e deithio i fyny trwy Aberystwyth a Machynlleth cyn mynd am Lundain.

Roedd Harri eisiau ennill arweinydd mwya pwerus de Cymru, Rhys ap Tomos, i ymladd gydag e. OND roedd Rhys wedi rhoi addewid i'r brenin Richard III na fydde fe'n gadael i Harri ddod i mewn i Gymru ond dros ei gorff e. Felly, beth wnaeth Rhys (yn ôl y stori 'ta beth)? Cuddiodd e dan bont a gadael i Harri a'i fyddin deithio dros ei gorff e! (Clyfar iawn, Rhys!)

Ar y ffordd, ar gyrion Machynlleth, arhosodd Harri yng nghartre un o'r beirdd brwdfrydig oedd wedi'i gefnogi e – Dafydd Llwyd a'i wraig Margred – ym Mathafarn. Roedd Dafydd yn ffan ffantastig i Harri Tudur ac roedd e wedi ysgrifennu 50 o gerddi yn dweud fod Harri'n mynd i fod yn frenin gwych. Ond 'nawr gofynnodd Harri i Dafydd pwy fyddai'n ennill y frwydr frawychus – fe neu Richard III?

Druan â Dafydd – doedd e ddim yn gallu cysgu drwy'r nos yn poeni sut i ateb Harri. Diolch byth fod Margred yn fwy clyfar nag e:

A bant â phawb i ymladd ym Mrwydr Bril Bosworth.

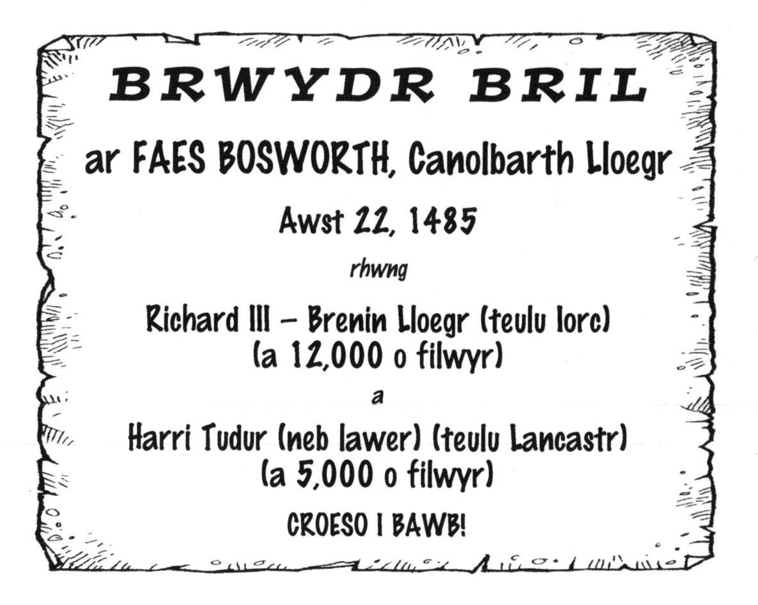

Ond roedd gan un barwn brawychus, William Stanley, 4000 o filwyr, ac roedd e'n methu penderfynu pwy i'w gefnogi:

Ar y funud ola penderfynodd William wamal helpu Harri. (Wel, roedd mam Harri'n chwaer-yng-nghyfraith iddo fe.) Cafodd Richard ei ladd. Cododd rhywun goron Richard o'r baw a'i rhoi ar ben Harri:

'Nawr roedd CYMRO (wel, chwarter un 'ta beth) yn frenin ar Gymru a Lloegr. OND, faint o Gymro oedd e mewn gwirionedd? Wnaeth e unrhyw beth dros Gymru?

Brenin twymgalon neu frenin yn torri calonnau?

Pwyntiau pigog DROS Harri VII:

- ✓ Ymladdodd Harri yn Bosworth dan faner y Ddraig Goch.
- ✓ Ar ôl dod yn frenin rhoddodd e swyddi pwysig i sawl Cymro oedd wedi'i helpu e – gwnaeth e Rhys ap Tomos yn Syr Rhys ap Tomos.
- ✓ Enwodd Harri ei fab cynta yn 'Arthur' ar ôl brenin mawr hanes Cymru. (Ond buodd Arthur farw yn 16 oed, felly fuodd e ddim llawer o help i'r Cymry!)
- ✓ Rhoddodd arian er mwyn dathlu Dydd Gŵyl Dewi yn ei lys yn Llundain.

Pwyntiau pigog YN ERBYN Harri VII:

- ✗ Roedd e'n rhy brysur yn rheoli Lloegr i dalu llawer o sylw i Gymru fach.
- ✗ Wnaeth e ddim cael gwared â'r cyfreithiau cas oedd yn rhwystro'r Cymry rhag prynu tir a dal swyddi pwysig.

FELLY – SGÔR **DROS**: 4 **YN ERBYN**: 2

Ond beth ydych chi'n feddwl? Oedd Harri, y cyntaf o'r Tuduriaid trafferthus, yn Gymro twymgalon neu'n Gymro wnaeth dorri calonnau'r Cymry?

Dim cyfraith na threfn

Hafoc yr Herwyr

Pan ddaeth Harri VII yn frenin, roedd Cymru'n llawn herwyr haerllug oedd yn creu hafoc hunllefus yn y wlad. Roedd ardal Ysbyty Ifan fel nyth cacwn o wyllt – yn llawn lladron a llofruddion lloerig. (Byddai eu hanes nhw'n gwneud gwell ffilm na hanes Robin Hood!)
I lawr y ffordd yng nghoedwig Carreg Gwalch roedd herwr mwya haerllug Cymru – Dafydd ap Siencyn a'i griw gwyllt – yn byw. Petai un o'r criw wedi gallu anfon llythyr gartre dyma beth fyddai e wedi'i ysgrifennu:

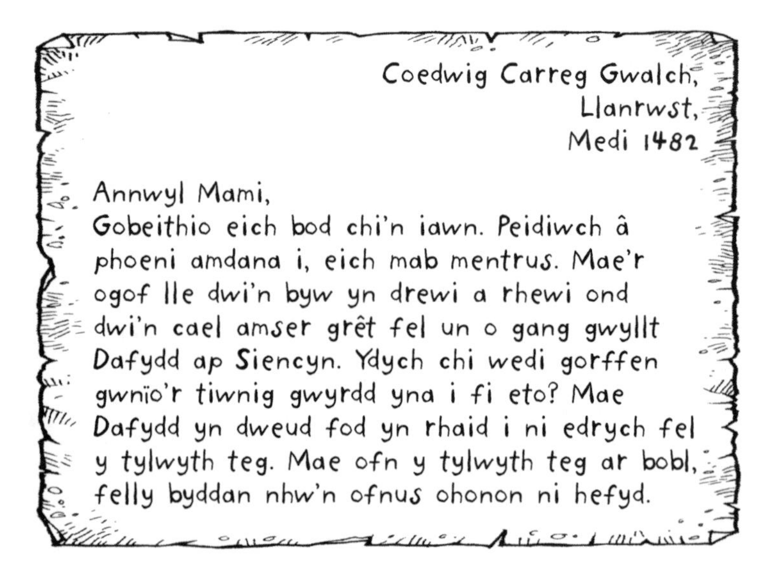
Coedwig Carreg Gwalch,
Llanrwst,
Medi 1482

Annwyl Mami,
Gobeithio eich bod chi'n iawn. Peidiwch â phoeni amdana i, eich mab mentrus. Mae'r ogof lle dwi'n byw yn drewi a rhewi ond dwi'n cael amser grêt fel un o gang gwyllt Dafydd ap Siencyn. Ydych chi wedi gorffen gwnïo'r tiwnig gwyrdd yna i fi eto? Mae Dafydd yn dweud fod yn rhaid i ni edrych fel y tylwyth teg. Mae ofn y tylwyth teg ar bobl, felly byddan nhw'n ofnus ohonon ni hefyd.

Y bòs, Dafydd ap Siencyn, yw'r saethwr gorau yn y byd i gyd. Ddoe saethodd e saethau trwy gapiau milwyr byddin Lloegr heb grafu'u pennau nhw!

Ac wythnos ddiwetha, pan oedd y fyddin yn cael picnic mewn cae yn ymyl yr ogof, saethodd e un saeth o ddrws yr ogof i mewn i'r cig rhost ar ganol y wledd ac un arall i mewn i'r ddysgl gwstard! Roedd hi'n werth gweld wynebau'r milwyr! Wnewch chi ddweud y straeon yma amdanon ni fel herwyr haerllug wrth eich ffrindie? Ry'n ni eisiau i bawb wybod am gampau gorchestol Dafydd ap Siencyn o Garreg Gwalch.

Cofion oer a swsys gwlyb,
eich mab mileinig,
Meilyr.

2. HARRI VIII

Y BWLI BRENHINOL

Pan ddaeth mab Harri VII, Harri VIII, yn frenin doedd e ddim yn fodlon derbyn dwli o Gymru. Roedd e eisiau cael gwared â phob heriwr haerllug a llofrudd lloerig – am byth! Defnyddiodd e ddwy dacteg drawiadol i dawelu Cymru:

Tacteg sioc

Crogi a dienyddio unrhyw un oedd yn herio'r Brenin – y cyfoethog a'r tlawd.

Cafodd y Cymry sioc enfawr pan gafodd Rhys ap Gruffudd, arglwydd Castell Caeriw a ffrind mawr i Harri VII, ei arestio, ei gyhuddo o fod yn fradwr ac yna – ei ddienyddio:

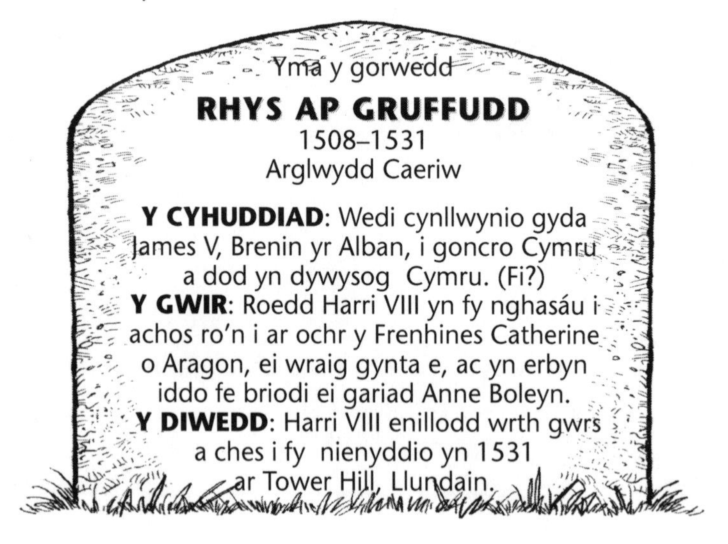

Felly:

Gyfeillion, darllenwch fy ngeiriau –
Os ych CHI eisiau cadw eich pennau,
Peidiwch herio na digio
Na beiddio cynllwynio
Yn erbyn Harri'r wythfed a'i ffrindiau.

Rhys ap Gruffudd (di-ben)

Defnyddiodd y Bwli Brenhinol, Harri VIII, yr Esgob Rowland Lee i wneud llawer o'i waith brwnt e drosto fe. O fewn naw mlynedd llwyddodd Lee i ddod o hyd i 5,000 o droseddwyr drwg a'u crogi nhw. Roedd e'n hoffi crogi gymaint nes iddo fe grogi un dyn oedd wedi marw'n barod!

Roedd lladron Cymru yn crynu yn eu sgidiau wrth glywed enw yr Esgob Rowland Lee:

Tactegau twyllodrus

Ond yn 1536 penderfynodd Harri VIII roi cynnig ar dactegau twyllodrus newydd trwy basio:

DEDDFAU DIFRIFOL o DDWL

Deddfau i UNO Cymru a Lloegr oedden nhw. Yn ôl Harri roedd e wedi'u pasio nhw am ei fod e'n 'caru Cymru gymaint'! (Tynna'r goes arall, Harri!)

DEDDFAU DIFRIFOL O DDWL
Harri VIII, 1536

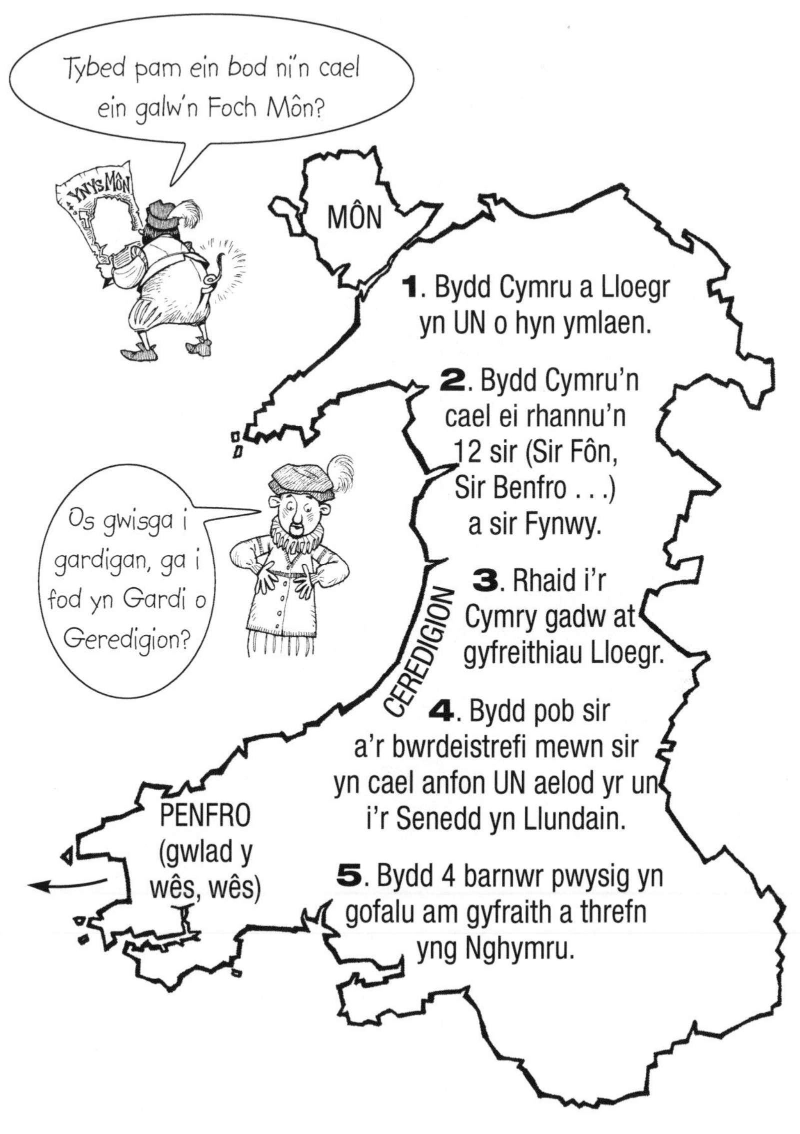

ONDY DDEDDF FWYA DIFRIFOL A DWL O'R CYFAN:

6. I gael swydd bwysig yng Nghymru mae'n rhaid i bob Cymro allu siarad Saesneg.

Ar ôl pasio'r Deddfau Uno
Roedd disgwyl i'r Cymry fihafio;
Dim ymladd na ffraeo,
Na lladd na llofruddio,
A Lloegr a Chymru yn UN-O!

Ac yn ôl llawer o haneswyr hyll, newidiodd y Cymry o fod yn herwyr haerllug i fod yn seintiau serchus dros nos.

Dwedodd Rhys Meurig o Forgannwg:

Ac meddai George Owen o sir Benfro:

Yn ANFFODUS, roedden nhw wedi anghofio ambell helynt hollol helbulus ddigwyddodd hyd yn oed ar ôl y Deddfau Uno difrifol a dwl:

Baled Bathetig

Maffia Mawddwy

'Slawer dydd yn ardal hardd Mawddwy
Roedd gang o ladron yn byw,
Ro'n nhw'n ddigon hawdd eu nabod,
Pob un â gwallt coch ei liw;
Do'n nhw'n malio dim am gyfraith
Deddf Uno na barnwr na chos(b)
Achos nhw oedd Gwylliaid Cochion Mawddwy
Ro'n nhw'n gwybod mai NHW oedd y BÒS!

Ar ôl sawl blwyddyn yn bygwth,
Yn dwyn a lladrata'n ddi-baid,
Penderfynodd Siryf Mawddwy:
'Mae'n bryd rhoi stop ar yr haid.

A dw i'r Barwn Lewis Owain
Yn mynd i ddal pob un o'r criw,
A'u crogi nhw fry ar y goeden –
Fydd dim un ar ôl yn fyw.'

Ac fe gadwodd y Barwn creulon
Ei addewid – fe ddaliodd a chrogodd e
Wyth deg o'r Gwylliaid Cochion
Heb wrando gair ar ble
Ac ymbil mam un o'r lladron,
'O peidiwch, Farwn Owain,' medd hi,
'Â chrogi Jac Goch, fy mab ieuenga,
Fe yw cannwyll fy llygaid i.'

Ond doedd y Barwn ddim yn barod i wrando;
Crogwyd Jac gyda'r lleill, welwch chi;
Ac meddai'r fam unwaith eto,
'Rwy'n eich melltithio chi!
Bydd fy meibion eraill i, Farwn,
Yn dial rhyw ddydd arnoch chi,
Ac yn golchi'u dwylo yn llawen
Yng ngwaed eich calon galed chi.'

Ac felly y bu. Un nos dywyll
A'r Barwn yn teithio drwy'r fro,
Ymosododd y Gwylliaid arno
A'i saethu'n ei wyneb, O do!
A'i drywanu dri deg o weithiau
Nes roedd e'n farw gorn ar y llawr,
Ac i ddial Jac Goch, fe olchodd
Ei frodyr eu dwylo'n ei waed e nawr.

Ond nid dyna ddiwedd y stori
Am y Maffia ym Mawddwy bell,
Er iddyn nhw ffoi a chuddio
Fe ddaethon nhw o flaen eu gwell.
Ac yna aeth popeth yn dawel
A'r Gwylliaid wedi diflannu i gyd;
Ond mae sôn fod yna sawl person
Ym Mawddwy, â gwallt coch o hyd!

Mae stori Maffia Mawddwy mor frawychus nes bod nofelau atgas, cerddi ciaidd a hyd yn oed ffilm ffantastig wedi cael eu gwneud amdanyn nhw. Cafodd dyn lleol o Fawddwy, Aneurin Brook, ei ddewis i actio rhan un o'r Gwylliaid mewn ffilm am fod gwallt coch gydag e. Ond doedd dim pwynt – ffilm ddu a gwyn oedd hi!

CREFYDD YN Y CYFNOD MODERN CYNNAR

Cecru a chweryla cythryblus

Yn ystod y Cyfnod Modern Cynnar roedd mwy o gecru, cweryla a ffraeo am grefydd nag am unrhyw beth arall. (Mae hynny'n rhyfedd achos mae pobl grefyddol i fod i garu'i gilydd!)

ROWND UN – Roedd pawb yn GRISTNOGION, ond yn amser Harri VIII bu rhwyg yn yr eglwys. Dyma beth mae Haneswyr hyll yn ei alw yn:

Y Diwygiad Protestannaidd **CRISTNOGION**	
CATHOLIGION neu'r **Pab**yddion, achos roedden nhw'n credu mai'r **Pab** yn Rhufain oedd pen yr Eglwys yn y byd. Gwrthododd y Pab ganiatáu i Harri VIII ysgaru ei wraig, y Frenhines Catherine o Aragon, a phriodi ei gariad Anne Boleyn. (Doedd Catholigion ddim yn cael ysgaru.)	**PROTESTANIAID** Am fod y Pab yn gwrthod iddo fe ysgaru Catherine a phriodi Anne Boleyn penderfynodd Harri VIII dorri i ffwrdd oddi wrth yr eglwys Gatholig a'r Pab. Gwnaeth e 'i hunan yn BEN ar yr eglwys Brotestannaidd. Priododd e Anne Boleyn (a thorri'i phen hi wedyn!).

A dyna hanes oes y Tuduriaid – cecru rhwng y Catholigion a'r Protestaniaid.

Ac yn oes y Stiwartiaid – cecru rhwng y Protestaniaid a'i gilydd (Eglwys Loegr, y Piwritaniaid a'r Anghydffurfwyr).

Mae hanes atgas y cecru cythryblus yn llawn lladd, llosgi a chrogi.

Ond pwy oedd pwy?

Y Catholigion

Fel Pabyddion yn yr Eglwys Gatholig
Mae pererindota i Rufain yn fraint,
Ac ry'n ni'n joio addoli mewn Lladin
Ond cofiwch, dy'n ni i gyd ddim yn saint!

Protestaniaid – Eglwys Loegr

Fel Protestaniaid yn Eglwys Loegr
Ry'n ni'n addoli heb gannwyll na chrair,
Ond gan fod y cwbwl yn Saesneg
Dy'n ni'r Cymry'n deall dim gair!*

(* Yn nes ymlaen penderfynodd y Protestaniaid fod angen Beibl Cymraeg yng Nghymru.)

Protestaniaid – y Piwritaniaid

Fel mae'n enw ni'n dangos yn eglur,
Ry'n ni fod byw yn 'boring' o bur,
Dim dathlu'r Nadolig na gwisgo yn smart,
'Sdim rhyfedd fod nhw'n dweud bod ni'n sur!

Protestaniaid – yr Anghydffurfwyr

Dy'n ni ddim yn fodlon cyd-ymffurfio
A mynd i'r Eglwys blwyf bob dydd Sul;
Mae'n well 'da ni bregeth mewn capel –
Gobeithio nag ych chi'n ein gweld ni yn gul!

Dal yn gymysglyd? Darllenwch ymlaen i gael gwybod yr hanes atgas i gyd.

Cam 1: Chwalu'r mynachlogydd

Drwy'r Oesoedd Canol cythryblus roedd y mynachlogydd wedi bod yn bwysig yn hanes haerllug Cymru. Ond cam cynta Harri VIII oedd mynd ati i chwalu'r mynachlogydd.

Dyfalwch chi pa BEDWAR RHESWM RHEIBUS oedd gan Harri VIII dros chwalu'r mynachlogydd:

1. **Doedd e ddim yn hoffi timau pêl-droed y mynachlogydd.**

2. **Doedden nhw ddim wedi talu'r rhent ers amser.**

3. **Dim ond nifer fach iawn o fynaich oedd ar ôl ym mhob mynachlog.**

4. **Doedden nhw ddim yn ymolchi'n ddigon aml felly roedd y tai yn drewi.**

5. **Roedd y mynachlogydd yn berchen ar lawer o dir a chyfoeth, ac roedd Harri eisiau'r cyfan.**

6. **Roedd y mynachlogydd mor bell o bobman doedd neb yn galw yno beth bynnag.**

7. **Roedd yr abadau a'r mynaich wedi anghofio popeth am reolau byw mewn mynachlog ac yn gwneud beth roedden nhw eisiau.**

8. **Roedd Harri eisiau troi'r mynachlogydd yn fflatiau.**

9. **Roedd y mynaich yn Gatholigion a doedd Harri ddim yn hoffi Catholigion.**

ATEBION:

3. Yn ôl rheolau'r mynachlogydd roedd angen tua 12 mynach i fyw ym mhob tŷ crefydd. Ond erbyn oes y Tuduriaid dim ond 250 mynach oedd rhwng y 50 tŷ yng Nghymru (gwnewch eich syms – dyna 5 i bob tŷ). Roedd digon o le yn abaty anferth Tyndyrn i 80 mynach, ond dim ond 13 oedd yn byw yno erbyn 1536.

5. Roedd Harri eisiau cael gafael ar gyfoeth abatai mawr Lloegr, ond i wneud hynny roedd yn rhaid cau mynachlogydd Cymru hefyd. Roedd Abaty Westminster yn Llundain yn werth £3,740 y flwyddyn. Dim ond £3,178 oedd gwerth HOLL fynachlogydd Cymru gyda'i gilydd! Ond roedd gan dai Cymru lawer iawn o dir. Roedd 3,000 o erwau gan Tyndyrn. Roedd Harri VIII eisiau arian i fynd i ymladd yn erbyn Brenin Ffrainc. Felly – BANT â'r mynachlogydd.

7. Roedd y mynaich i fod i fyw yn dda a chadw rheolau rhyfedd fel:
   - ✠ byw yn dlawd iawn
   - ✠ dim priodi na chael plant
   - ✠ bod yn ufudd i'r abad.

   Anfonodd Harri dîm o ddynion busneslyd o gwmpas y mynachlogydd i weld a oedd y mynaich yn cadw'r rheolau rhyfedd yma. A dyna syrpreis! Fe ffeindion nhw rai abadau a mynaich yn gwneud pethau ofnadwy:

   - Roedd Robert Salusbury, abad Glyn-y-groes, Llangollen yn arwain mintai o ladron pen-ffordd. Cafodd e 'i ddal a'i anfon i'r Tŵr yn Llundain.
   - Roedd Thomas Pennant, abad Dinas Basing, wedi gadael yr abaty i briodi ac roedd ganddo fe lawer o blant.
   - Cafodd Richard Smith, mynach yn abaty Ystrad Fflur, ei gyhuddo o fathu arian (gwneud arian ffug).

   Wrth gwrs gwnaeth Harri sylw mawr o'r problemau yma. Anghofiodd e sôn fod llawer o'r abadau'n bihafio'n dda ac yn cadw'r rheolau i gyd.

9. Oedd, roedd y mynaich yn Gatholigion.

Ac roedd PEDWAR RHESWM RHEIBUS yn ddigon. Erbyn 1539 roedd pob un o 50 tŷ crefydd Cymru wedi'u cau. (Ta-ta, tai crefydd!)

Ond cofiwch, maen nhw'n dweud fod ysbryd un o'r mynaich yn abaty Ystrad Fflur yn ymddangos ar noswyl Nadolig bob blwyddyn. Mae e'n trio ailadeiladu'r eglwys, druan bach.

CAM 2: DRYLLIO DELWAU

Cam 2 Harri VIII i goncro Catholigion oedd trefnu dinistr y delwau, cyflafan y creiriau a rhoi stop ar bererindodau. Sut aeth e ati? Dyma'r camau creulon atgas:

- Dwedodd Esgob newydd Tyddewi, William Barlow, wrth ganoniaid (math o offeiriaid, NID gynnau mawr) yr eglwys gadeiriol am stopio addoli dau benglog pwdwr oedd yn yr eglwys, a rhoi esgyrn Dewi Sant i gadw am byth. (Hwyl fawr, Dewi!)
- Ym Mhen-rhys yn y Rhondda roedd delw enwog iawn o Mair, mam Iesu Grist, ond cafodd ei thynnu i lawr yn gyfrinachol un noson (rhag ofn y byddai'r bobl leol yn mynd yn grac iawn). Aethon nhw â hi i'w llosgi gyda delwau Catholig eraill yn Llundain.

Dwi erioed wedi clywed am Fangor!

- Cafodd un o weision Harri VIII hyd i glust Malchus yn ardal Bangor. Roedd Malchus wedi colli'i glust pan dorrodd Sant Pedr hi i ffwrdd wrth amddiffyn Iesu Grist tua 1,500 o flynyddoedd cyn hyn! Sut cyrhaeddodd clust Malchus i Fangor, tybed? Diflannodd y glust a does neb wedi clywed rhagor o'i hanes!

- Yn eglwys Llandaf, Caerdydd roedd delwau o dri sant – Teilo, Dyfrig ac Euddogwy. Ceisiodd canoniaid yr eglwys eu cuddio nhw rhag gwas gwarthus Harri. Ond cafodd y gwas hyd i bennau'r tri sant a'u dinistrio – unwaith ac am byth.

Ond hanes haerllug Sant Derfel Gadarn yw'r enwoca ohonyn nhw i gyd.

Llais Lloerig Llundain

MAI 1538 1c

DIWEDD DELW DERFEL!

Proffwydoliaeth yn dod yn wir!

ROEDD dinas Llundain ar dân heddiw wrth i ddau ddihiryn difrifol gael eu llosgi'n ulw yn Smithfield. Dr Ellis Pryce oedd arwr y dinistr dychrynllyd. Fe oedd wedi dod â'r dihiryn cynta i Lundain. 'Roedd y peth yn warthus,' meddai Dr Pryce wrth ohebydd *Llais Lloerig Llundain*. 'Pan on i'n teithio o gwmpas Cymru yn chwalu'r mynachlogydd, digwyddes i alw yn eglwys Llandderfel yn sir Feirionnydd. Gweles i tua 600 o bobol yn addoli

Derfel Gadarn yno – yn addoli delw bren o hen sant Catholig ar gefn ceffyl – cwbwl warthus!'

Aeth Dr Pryce ymlaen i ddweud fod y Cymry pathetig yma yn credu fod delw Derfel Gadarn yn gallu'u hachub nhw rhag mynd ar eu pennau i uffern ar ôl iddyn nhw farw.

Roedden nhw'n barod i dalu arian mawr, a hyd yn oed roi gwartheg a cheffylau i'r eglwys, am gael gweld y ddelw yma. Dwedodd un o'r rhai oedd wedi pererindota i Landdderfel, 'Dwi wedi pechu'n ofnadwy yn ystod fy mywyd ond nawr, ar ôl gweld delw Derfel a'i geffyl, dwi'n siŵr y bydda i'n mynd yn syth i'r nefoedd ar ôl marw.' Rhoddodd e £6 yn y bocs arian yn yr eglwys.

Roedd pobl Llandderfel wedi cynnig talu £40 i achub delw Sant Derfel.

Ond – rhy hwyr! Torrodd Dr Pryce y ddelw o'r sant i ffwrdd o ben y ceffyl a dod â hi i Lundain i'w rhoi ar goelcerth fawr y delwau. A'r bore 'ma cafodd y ddelw ei llosgi'n llwyr.

A'r ail ddihiryn ar y goelcerth gampus? – neb llai na Thomas Forest, y Pabydd penboeth oedd yn ffrindiau gyda'r Frenhines Catherine o Aragon.

Roedd proffwydoliaeth yn dweud y byddai'r ddelw o Derfel Gadarn yn rhoi **fforest** gyfan ar dân rhyw ddiwrnod. Ac fe wnaeth – wrth i Thomas **Forest** losgi yn yr un tân â'r ddelw. *Dyna jôc dda (ond dim i Thomas Forest, wrth gwrs)!*

Dyna beth yw Pabydd pen-boeth!

(Ond ro'n nhw'n dweud wedyn fod y Cymry wedi dechrau addoli ceffyl Derfel yn lle'r sant ei hunan!

OND . . . doedd hi ddim yn bosibl i'r Protestaniaid, hyd yn oed, ddinistrio popeth.

- Buon nhw'n peintio dros y darluniau lliwgar ar furiau rhai eglwysi Catholig. Ond, yn ddiweddar, wrth symud eglwys Llandeilo Talybont o Bontarddulais i Amgueddfa Werin Cymru, Sain Ffagan, ffeindion nhw'r darluniau ar y muriau unwaith eto! 'Nawr maen nhw i'w gweld unwaith eto. (Ha ha, Brotestaniaid!) A phwy ydych chi'n meddwl sy'n mynd i Sain Ffagan i'w gweld nhw? – Protestaniaid wrth gwrs!
- Ac roedd y Cymry'n dal i gredu'n gryf fod y seintiau a'u ffynhonnau'n gallu gwella pob math o afiechydon aflan.

Dyma sut y byddai'r eglwysi wedi hysbysebu petai papurau newydd yn bod yn amser y Tuduriaid a'r Stiwartiaid:

BEDD BRIL SANT BEUNO

CLYNNOG FAWR, ARFON

Ydych chi'n sâl iawn?

Dewch ar frys i orwedd ar fedd Sant Beuno – byddwch chi'n well neu byddwch wedi marw o fewn tair wythnos.

PWYSIG: dim ond ar ddydd Gwener mae'r wyrth yma'n gweithio!

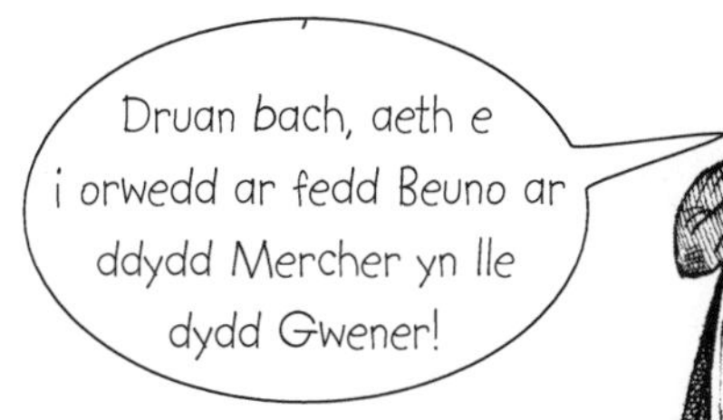

FFYNNON FFANTASTIG TEGLA, LLANDEGLA

Ydych chi'n dioddef o glefyd Tegla?

Dewch i olchi'ch traed a'ch dwylo yn Ffynnon Degla. Cofiwch ddod â cheiliog (os ydych chi'n ddyn) neu iâr (os ydych chi'n fenyw) gyda chi. Sticiwch binnau yn yr iâr neu'r ceiliog. (Does dim gwahaniaeth eu bod yn fyw – i mewn â nhw!) Cerddwch o gwmpas y ffynnon naw gwaith yn adrodd 'Ein Tad' cyn ymolchi yn y dŵr. Wedyn ewch i gerdded o gwmpas yr eglwys dair gwaith. Rhowch big yr aderyn yng ngheg y claf a chysgwch noson yn yr eglwys dan yr allor. Os bydd croen y claf yn dywyllach yn y bore bydd e'n siŵr o wella. Bydd y clefyd yn mynd i mewn i'r ceiliog neu'r iâr!

Cofiwch adael arian i'r tlawd yn y bocs casglu a'r aderyn i'r ficer (mae e'n hoffi cawl cyw iâr!).

FFYNNON FWYA FFANTASTIG CYMRU

FFYNNON GWENFFREWI, TREFFYNNON

Ydych chi: yn fyddar?
yn ddall?
yn methu â chael plant?

FFYNNON GWENFFREWI YW'R LLE I CHI.
DEWCH I YMOLCHI YN Y DŴR.

Un o Saith Rhyfeddod Cymru*

Cefnogwyd gan y teulu brenhinol eu hunain!
Margaret Beaufort (mam Harri V11)
a James II a'i wraig, Mary.

COFIWCH ADAEL ARIAN YN Y BOCS CASGLU

[*Y rhyfeddod rhyfedda ydy fod POB UN o Saith Rhyfeddod Cymru yng ngogledd Cymru!]

Merthyron Mari – Pwnc llosg

Does dim rhyfedd, felly, fod llawer o Gymry'n falch o weld y Protestant penstiff Edward VI (mab Harri VIII) yn marw, a'i chwaer e, Mari Tudur – y Gatholiges, (merch Catherine o Aragon oedd hi wedi'r cwbwl) – yn dod yn Frenhines.

OND mae pob llyfr Hanes hyll yn llawn o hanesion atgas am Mari Waedlyd – y frenhines frawychus oedd yn joio coelcerth fawr. Llosgodd hi 283 o Brotestaniaid brwdfrydig mewn cyfnod o 5 mlynedd. (Efallai nad oedd hi'n gallu fforddio tân glo!)

Yng Nghymru dim ond tri gafodd eu merthyru:

- y pysgotwr Rawlins White, yng Nghaerdydd;*
- William Nichol yn Hwlffordd;
- Robert Ferrar, Esgob Tyddewi, yng Nghaerfyrddin.**

* Ysgrifennodd Rawlins at ei wraig cyn y diwrnod mawr a gofyn iddi ddod â'i wisg briodas e i'r carchar. Cafodd e 'i losgi yn ei wisg briodas. (Dyna wastraff o wisg neis!)

** Gwelodd Richard Jones o Abermarlais Robert Ferrar, esgob Tyddewi, y noson cyn iddo fe gael ei losgi ar Fawrth 31, 1555. Byddai e wedi gallu disgrifio'r olygfa ofnadwy fel hyn:

Diwrnod trist iawn heddi – sgwâr Caerfyrddin yn llawn o bobol wedi dod i weld y goelcerth greulon. Gweles i nhw yn clymu'r Esgob dewr at y stanc ac yn cynnau'r tân. Roedd y tân yn araf yn cydio ond wnaeth yr Esgob ddim sgrechian na symud bron wrth i'r fflamau lyfu'i goesau a llyncu'i gorff.

Dwedodd yr Esgob Ferrar wrtho i neithiwr y byddai'i ddewrder e yn profi 'i fod e'n Brotestant da.

Fel roedd e'n marw cododd ei fraich i fyny'n uchel. Roedd hi fel cannwyll lachar. Roedd y sgwâr yn dawel fel y bedd.

Ar ôl hyn roedd pobl Caerfyrddin yn dweud fod Duw yn anfon cannwyll at bob teulu i'w rhybuddio nhw fod aelod o'r teulu yn mynd i farw'n fuan – dyma'r gannwyll gorff. (Cewch glywed rhagor am hyn yn 'Arferion Aflan'.)

Oes ofnadwy Elizabeth I (1558–1603)

Ar ôl 5 mlynedd buodd Mari Waedlyd farw a daeth Elizabeth ei chwaer yn frenhines. Ac – ydych, rydych chi'n iawn – roedd hi'n Brotestant! Druan â'r bobl – mewn 30 mlynedd roedden nhw wedi gorfod newid 'nôl a 'mlaen, 'mlaen a 'nôl, 'nôl a . . .

1530 💣	1540 💣	1555 💣	1560
Pabyddion	Protestaniaid	Pabyddion	Protestaniaid

Ond o leia buodd Elizabeth ar yr orsedd yn ddigon hir i'r Cymry cymysglyd gael eu Beibl Cymraeg eu hunain. (Doedden nhw ddim yn gallu deall y Beibl Saesneg o gwbl.)

William Salesbury gafodd y job o gyfieithu'r Beibl Cymraeg cynta, gyda help ei ffrindiau – yr Esgob Richard Davies a Thomas Huet. Dechreuon nhw gyda'r Testament Newydd (Call iawn, achos mae e lawer byrrach na'r Hen Destament.)

OND pan ddaeth Testament Newydd Salesbury allan yn 1567 doedd pobl ddim yn gallu'i ddarllen e. Roedd e'n llawn o eiriau gwirion henffasiwn a threigladau *th*rwsgl a *d*rafferthus (wel – nid y chi yw'r cyntaf i gael problemau gyda threigladau).

Faint o farciau fyddech chi'n eu rhoi am ysgrifennu Cymraeg fel hyn:

Gwyn ei vyd y gwr ny rodiawdd yn cyccor yr andewolion

3/10?

Dwedodd Maurice Kyffin am y Testament Newydd newydd Cymraeg:

Ac mae un stori yn dweud fod William Salesbury a Richard Davies wedi cweryla cymaint dros UN gair fel nad aethon nhw ddim ymlaen i gyfieithu'r Hen Destament.

Mae'n lwcus, felly, fod rhywun arall wrth law i wneud y gwaith.

Sant sigledig?

Mae PAWB yn gwybod fod William Morgan yn ddyn PWYSIG IAWN, IAWN yn hanes Cymru. Mae athrawon Hanes yn mynd ymlaen ac ymlaen am y dyn da a'r Cymro cadarn yma a'i gyfieithiad campus e o'r Beibl i'r Gymraeg. Mae e hyd yn oed wedi cael ei lun ar stamp!

Dyma **Ffeithiau Ffantastig** am y sant syfrdanol yma:

† William Morgan gyfieithodd y Beibl i'r Gymraeg yn 1588.
† Roedd e'n gallu darllen ac ysgrifennu 5 iaith – Cymraeg, Saesneg, Lladin, Groeg a Hebraeg (doedd dim llawer o ddefnydd i rai ohonyn nhw yn Llanrhaeadr-ym-mochnant, lle roedd e'n ficer!).
† Treuliodd e flwyddyn yn Llundain yn gwneud yn siŵr fod y Beibl yn cael ei argraffu'n gywir.
† Am ei waith da cafodd ei wneud yn Esgob Llandaf ac yna'n Esgob Llanelwy.
† Helpodd y Beibl i gadw'r iaith Gymraeg yn fyw.

Tipyn o foi, felly. OND ydy'ch athrawon chi wedi dweud Y GWIR I GYD wrthoch chi am yr esgob eithriadol (neu echrydus) hwn?

Ffeithiau Ffiaidd am yr Esgob William Morgan:

- † Buodd e'n ffraeo gyda'i gymydog, Ieuan Meredith o Lloran Uchaf, Llanrwst ar hyd ei oes. Ymosododd Ieuan ar gartre William Morgan yn y diwedd.
- † Roedd Ieuan yn dweud fod William Morgan yn bygwth llosgi tai pobl Llanrhaeadr-ym-mochnant am eu bod nhw'n dwyn coed tân.
- † Rhoddodd William Morgan slap i'w fam-yng-nghyfraith yn ei hwyneb. Roedd hi'n 80 oed ar y pryd! Cyfaddefodd ei fod e wedi gwneud hynny, ond bod y slap wedi gwneud lles iddi! (Tybed beth oedd ei barn hi ar y mater?)
- † Roedd William Morgan yn cuddio dau wn mawr o dan ei ddillad pan oedd e'n mynd i'r eglwys i gynnal gwasanaeth.

Sant syfrdanol neu sant sigledig? Penderfynwch CHI. Efallai y dylai fod wedi darllen y Beibl yn fwy gofalus wrth ei gyfieithu e.

Sbïwyr sbeitlyd Oes Elizabeth

Roedd cymaint o elynion gan Elizabeth I nes bod angen sbïwyr arni ym mhob man. Roedden nhw'n chwilio cartrefi – edrych dan y gwelyau, mewn cypyrddau a lawr y tŷ bach hyd yn oed. Ond roedd hi'n anodd iawn cael hyd i'r offeiriaid Pabyddol oedd yn dod draw i Gymru o'r cyfandir i droi'r Cymry 'nôl yn Gatholigion.

Roedd sawl teulu cyfoethog yn helpu i guddio'r offeiriaid mewn tyllau cyfrinachol lle roedden nhw'n gallu byw am wythnosau, os oedd milwyr Elizabeth o gwmpas.

Ar stad y Creuddyn, ger Llandudno, fe lwyddodd 8 offeiriad Pabyddol i fyw yn Ogof Rhiwledyn, oedd yn ddim ond 5 metr o hyd, am chwe mis yn 1586. Yn yr ogof fe lwyddon nhw i argraffu llyfr Cymraeg – *Y Drych Cristionogawl* – y llyfr cynta erioed i gael ei argraffu yng Nghymru!

Ond cyn pen dim roedd y Pabyddion hyn wedi cael eu bradychu a'r Ynad Heddwch lleol, Thomas Mostyn, ar ei ffordd i'r ogof gyda byddin o 40 o ddynion i'w dal. Buon nhw'n gwylio'r ogof drwy'r nos, ond pan aethon nhw i mewn yno yn y bore roedd yr offeiriaid wedi dianc a'r wasg wedi diflannu!

(Sioc i bawb! – ond NID i Thomas Mostyn falle, achos roedd e'n cefnogi'r Pabyddion yn dawel fach.)

ERLID ERCHYLL

Doedd pob Pabydd ddim mor lwcus. Dyma hanes hunllefus dau Babydd a gafodd eu crogi a'u diberfeddu yn oes ofnadwy Elizabeth:

1. **Rhisiart Gwyn** (neu Richard White i'r Saeson)

Roedd Rhisiart Gwyn yn dod o Lanidloes ac roedd e wrth ei fodd yn canu carolau yn erbyn y Protestaniaid. Roedd e'n mynd ar nerfau sbïwyr Elizabeth gymaint fel eu bod nhw'n ei arestio e o hyd. (Doedden nhw ddim yn rhy hoff o'i lais canu e chwaith!)

Mewn un achos yn ei erbyn e roedd y tyst, dyn o'r enw Lewis Gronw, wedi troseddu gymaint o weithiau nes bod ei glustiau e'n llawn tyllau (dyna un ffordd o gosbi troseddwyr yn oes y Tuduriaid). Yn ystod yr achos roedd y Barnwr yn gorfod gweiddi ar Lewis o hyd.

O'r diwedd dwedodd Rhisiart Gwyn, 'Dylai e fod yn gallu clywed yn well na neb gyda'r holl dyllau yna yn ei glustiau!' (Jôc! – does dim rhyfedd fod y Barnwr wedi penderfynu crogi Rhisiart!)

Petai un o'r bobl oedd yn gwylio'r crogi wedi cadw dyddiadur, dyma sut y byddai e wedi disgrifio'r olygfa ofnadwy:

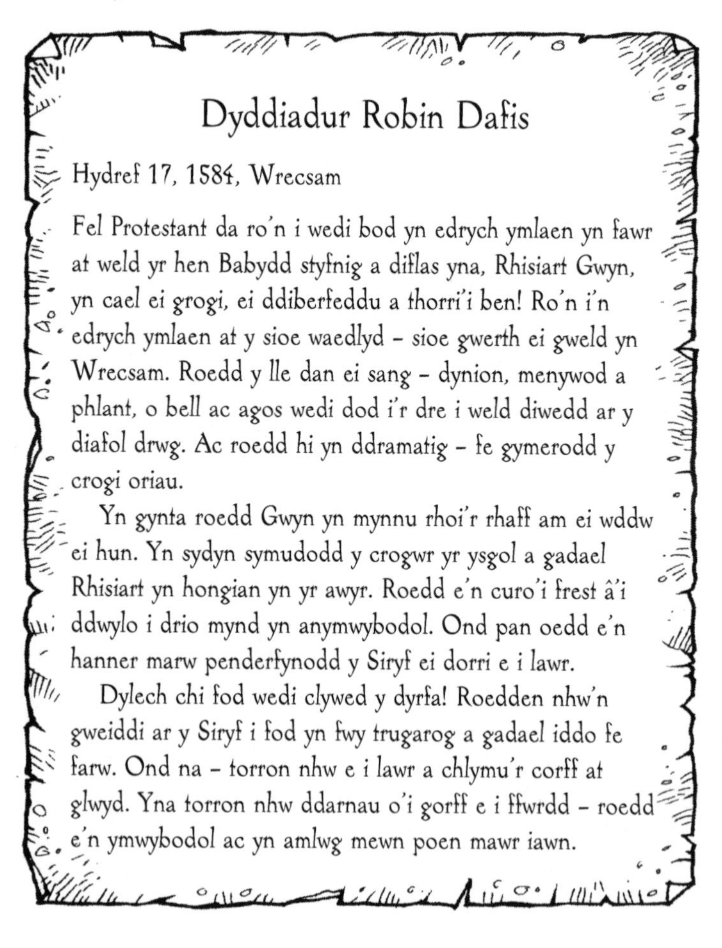
Dyddiadur Robin Dafis

Hydref 17, 1584, Wrecsam

Fel Protestant da ro'n i wedi bod yn edrych ymlaen yn fawr at weld yr hen Babydd styfnig a diflas yna, Rhisiart Gwyn, yn cael ei grogi, ei ddiberfeddu a thorri'i ben! Ro'n i'n edrych ymlaen at y sioe waedlyd – sioe gwerth ei gweld yn Wrecsam. Roedd y lle dan ei sang – dynion, menywod a phlant, o bell ac agos wedi dod i'r dre i weld diwedd ar y diafol drwg. Ac roedd hi yn ddramatig – fe gymerodd y crogi oriau.

Yn gynta roedd Gwyn yn mynnu rhoi'r rhaff am ei wddw ei hun. Yn sydyn symudodd y crogwr yr ysgol a gadael Rhisiart yn hongian yn yr awyr. Roedd e'n curo'i frest â'i ddwylo i drio mynd yn anymwybodol. Ond pan oedd e'n hanner marw penderfynodd y Siryf ei dorri e i lawr.

Dylech chi fod wedi clywed y dyrfa! Roedden nhw'n gweiddi ar y Siryf i fod yn fwy trugarog a gadael iddo fe farw. Ond na – torron nhw e i lawr a chlymu'r corff at glwyd. Yna torron nhw ddarnau o'i gorff e i ffwrdd – roedd e'n ymwybodol ac yn amlwg mewn poen mawr iawn.

Nesa torrodd y crogwr dwll yn ei fol a thrio tynnu'i berfedd e allan, ond doedd e ddim yn gallu cael hyd iddo fe (mae Catholigion yn dda am guddio pethau). Felly cymeron nhw fwyell cigydd fawr a hollti'i frest e, cydio yn y perfedd a'i daflu i'r cŵn.

Erbyn hyn ro'n i'n teimlo'n swp sâl, a sawl person arall yn y dyrfa hefyd.

Ond roedd Rhisiart druan yn dal yn fyw ac yn curo'i frest mewn poen ofnadwy! Clywes i e'n galw allan rhywbeth fel 'O Dduw gwyn, beth yw hyn?'

Yna torron nhw ei ben e i ffwrdd, a buodd e farw – o'r diwedd.

Dw i ddim yn siŵr fod hyd yn oed heretic haerllug fel Gwyn yn haeddu marwolaeth mor erchyll â hynna.

Pryd mae'r crogi nesa, tybed?

2. **William Davies**

Mae hanes hunllefus crogi William Davies, un o'r Pabyddion oedd wedi dianc o ogof Rhiwledyn, ac a gafodd ei grogi ym Miwmaris yn 1593, yn debyg iawn. Y tro yma doedd neb yn fodlon gwneud y gwaith gwarthus. O'r diwedd cytunodd dau ddyn i'w grogi e – am arian mawr. Roedd plant y dre yn lluchio cerrig atyn nhw.

Dringodd William y crocbren ei hun, gwneud arwydd y Groes a chusanu'r rhaff. Pan oedd e wedi hanner crogi, torron nhw y rhaff. Roedd e mewn poen difrifol ond torron nhw'i gorff e â chyllell a rhwygo'i galon e allan.

Yna torron nhw'r corff yn 4 chwarter ac anfonon nhw ddarnau i'w hongian yng nghestyll Conwy a Chaernarfon. (Rhybudd i'r bobl i beidio â meiddio croesi'r Frenhines Elizabeth a'r Protestaniaid.) Roedd ffrindiau William – Robert Pugh y Creuddyn a John Edwards – yn awyddus iawn i gael crair (rhywbeth gwerthfawr) i gofio William (swfenîr o'r diwrnod mawr!).

ROWND DAU: Tudalen 125.

Arferion Aflan

Os ydych chi eisiau gwneud argraff (wael!) ar eich athrawon Hanes hyll (yr Hanes nid yr athrawon!) dangoswch eich bod chi'n gwybod am arferion aflan y Tuduriaid trafferthus a'r Stiwartiaid syrffedus.

Cyfarchion Cŵl

Yn y Cyfnod Modern Cynnar doedd pobl gogledd Cymru ddim yn dweud 'Helô' neu 'Bore da' neu 'Pnawn da' (fel pobl call de Cymru). O na! wrth siarad â'u hathrawon bydden nhw'n defnyddio cyfarchion cŵl fel:

Neu, os oeddech chi eisiau bod yn fwy cŵl fyth, beth am y rhain?

'Wawch Mrs Williams' neu 'Wala! wfft a naw wfft Brifathro!'

Yn anffodus roedd pobl yn hoffi rhegi hefyd – yn enwedig trwy ddefnyddio enwau'n gysylltiedig â chŵn. Roedden nhw'n meddwl fod cŵn yn anifeiliaid swnllyd, cwerylgar ac afiach. (Doedd dim RSPCA bryd hynny.) Peidiwch CHI â defnyddio'r geiriau yma – yn enwedig wrth eich athrawon:

Fyddai dim llawer o ffrindiau gyda chi os byddech chi'n defnyddio iaith fel yna. Ac roedd rhai yn hoffi disgrifiadau mwy lliwgar fyth!

Swynion Serchus

Yn oes y Tuduriaid trafferthus a'r Stiwartiaid syrffedus roedd merched eisiau gwybod pwy fyddai'u cariadon nhw neu pwy fydden nhw'n ei briodi.

Dyma DRI swyn serchus i godi calon pob merch:

Swyn 1: Teisennau Serch

Ych-a-fi, dwi ddim yn ffansïo'r ferch 'ma a'i theisennau hallt!

Cymysgu gwynwy
â blawd a halen;
rhannu'r cymysgedd
yn ddwy deisen;
bwyta un deisen
a rhoi'r llall o dan
y gobennydd. Cwympo
i gysgu.

Bydd eich cariad
yn ymweld â chi
mewn breuddwyd am hanner nos i fwyta'r deisen
hallt arall – Swyn o sir Fôn.

Swyn 2: Malwod Musgrell

Criw o ferched yn dod at ei gilydd ac yn mynd allan i gasglu malwod gwynion o'r ardd (ydych chi wedi gweld malwen wen erioed?) a rhoi pob un o dan bowlen ar ddarn o lechen. Eu gadael nhw yno dros nos. Erbyn y bore bydd y malwod wedi ysgrifennu llythrennau cynta enwau cariadon y merched gyda'u llysnafedd seimllyd, atgas ar y llechen – Swyn o Wynedd. Gwnewch hon yn y nos cyn Gŵyl Ifan – Mehefin 22.

Swyn 3: Esgid cariad

Cerdded o gwmpas tomen dail (dom da) naw gwaith yn cario esgid wag a gofyn 'Dyma'r esgid, ble mae'r droed?' Bydd ysbryd cariad y ferch yn siŵr o ddod i roi'i droed yn yr esgid (fersiwn drewllyd Cymraeg o stori Sinderela!) – Swyn o Geredigion. Gwnewch hon ar Nos Galan Gaea – Hydref 31.

Ac os na fyddai'r swynion yn gweithio, yna byddai'r ferch druan yn marw heb gael cariad o gwbl – yn hen ferch (feri sad!).

Ofergoelion anhygoel

Roedd Cymry'r Cyfnod Modern Cynnar yn bobl anhygoel o ofergoelus.

Y fôr-forwyn od

Yn 1604 gwelodd nifer o drigolion pentre Pentywyn, Sir Gaerfyrddin greadur rhyfeddol yn y môr. Roedd yn debyg i fôr-forwyn – gyda chynffon a hanner corff pysgodyn, corff ucha a gwallt menyw, ond wyneb ci!

Canhwyllau corff

Roedden nhw'n credu hefyd fod arwyddion atgas yn ymddangos i deulu pan oedd aelod o'r teulu yn mynd i farw. Roedd rhai yn gallu gweld cannwyll gorff, sef golau bach ar siâp cannwyll yn dod allan o geg person sâl iawn oedd ar fin marw. Byddai'r gannwyll yma'n teithio'n araf o gartre'r claf ar hyd y ffordd y bydden nhw'n cario'r corff i'w gladdu a byddai'n sefyll yn stond yn y fynwent yn union lle byddai'r person yn cael ei gladdu. Yn ôl John Davis, ficer Genau'r Glyn, Ceredigion yn 1656, roedd pawb yn yr ardal yn gallu gweld canhwyllau corff. Roedd Jane Wyatt, chwaer-yng-nghyfraith y ficer, wedi gweld pump cannwyll gorff ar yr un noson pan oedd hi'n aros ym mhlasty Aberglasne, Sir Gaerfyrddin.

Dyma sut dwedodd hi'r stori syfrdanol wrth y ficer:

Roedd hi'n noson stormus a gwyntog iawn ac ro'n i wedi mynd i'r gwely'n gynnar. Tua dau o'r gloch y bore deffres i'n sydyn. Roedd rhyw sŵn rhyfedd yn dod o'r coridor y tu allan. Doedd dim cannwyll gen i, ond codes i'n ofalus

ac agor drws fy ystafell yn ofnus iawn. Beth welwn i yn y coridor ond pump golau llachar, tebyg i gannwyll, yn dod o dan ddrws yr ystafell lle roedd morwynion y plas yn cysgu. Roedd y canhwyllau'n symud yn araf bach, heb neb yn eu cario, ar hyd y coridor ac aethon nhw allan trwy'r ffenestr oedd ar agor ym mhen draw'r coridor. Roedd y ffenestr yn fflapian 'nôl a 'mlaen yn y gwynt. Dilynes i'r canhwyllau'n dawel bach â nghalon i'n curo fel gordd a gweles i nhw'n diflannu i fyny'r llwybr cul tuag at eglwys Llangathen. Ro'n i'n crynu fel deilen.

Wnes i ddim cysgu o gwbl y noson honno.

Ond tua chwech y bore clywes i sŵn gweiddi a sgrechian crio. Rhedes i allan o'r ystafell wely a gweld drws ystafell y morwynion ar agor. I mewn yno roedd y pump morwyn yn gorwedd yn hollol lonydd, yn wyn fel y galchen ac wedi marw yn eu gwelyau.

Druan â nhw. Y diwrnod cynt ro'n nhw wedi bod yn gwyngalchu'r ystafell ac wedi cynnau tân i sychu'r waliau yn ystod y nos. Ond roedd y nwyon wedi mygu a thagu'r merched i farwolaeth.

Wnes i ddim aros noson arall ym mhlas Aberglasne!

Ac maen nhw'n dweud, os ewch chi i fynwent eglwys Llangathen heddiw, fe welwch chi res o feddau tebyg yn yr union fan lle roedd y canhwyllau corff wedi stopio i nodi man y claddu.

Pedwar arfer aflan arall – am angladdau y tro yma

Roedd Cymry'r Cyfnod Modern Cynnar yn joio angladd dda. Y noson cyn yr angladd bydden nhw'n cynnal parti mawr – yr *wyl*nos, nid i *wyl*o ond i gael h*wyl* fawr. Bydden nhw'n bwyta, yfed a chwarae gêmau.

Roedd un gêm gyffrous yn cael ei chwarae gyda'r corff ei hunan yn sir Benfro, medden nhw.

Sut i chwarae 'Hirwen Gwd'

Bydd angen:

- un corff marw wedi'i glymu'n sownd mewn cwdyn hir, gwyn
- dau ddyn cryf
- rhaff gref
- simne fawr agored

Pan fydd pawb yn cael hwyl a sbri yn yr wylnos rhaid i un o'r dynion cryf ddringo i fyny i ben to'r tŷ. Bydd e'n taflu rhaff i lawr trwy'r simne fawr i'r ystafell lle mae'r corff. Bydd y rhaff yn cael ei chlymu'n dynn am y corff. Yna bydd y dyn ar y to yn gweiddi 'Ydy'r chwarae'n barod?' a'r dyn ar y gwaelod yn ateb 'Hirwen Gwd'.

Ar unwaith bydd y corff yn cael ei dynnu i fyny'r simne nes fod y pen yn dod allan drwy'r corn simne ar y top!

Does neb yn gwybod pam fod pobl Sir Benfro yn hoffi'r gêm gyffrous yma – efallai mai er mwyn glanhau'r simne roedden nhw'n chwarae 'Hir**wen** Gwd'; ond wedyn 'Hir**ddu** Gwd' fyddai'n gywir yntê?

Yn 1666 fe basion nhw ddeddf ddwl – bod yn rhaid claddu pawb mewn gwlân (ar ôl cneifio'r ddafad wrth gwrs!). Roedd yn rhaid cael tystysgrif i brofi eich bod chi wedi cadw'r rheol yma neu byddech chi'n cael dirwy enfawr (i oes y Stiwartiaid) o £5.

Tystysgrif Wlanog

Mae'r dystysgrif yma'n profi fod

ROWLAND WILLIAM

o blwyf Aber, Sir Gaerfyrddin, wedi'i wisgo mewn gwlân a dim ond gwlân i gael ei gladdu.

Dyddiad: 1678. *Tyst: William Rowland.*

Dyfalwch pwy oedd wedi dyfeisio'r ddeddf ddwl yma? Ffermwyr defaid a gwerthwyr gwlân, wrth gwrs! Me-e-e!

Yn yr angladd, ar flaen yr orymdaith o'r cartre i'r fynwent, byddai'r ddau berson mwya hunllefus o hyll yn cerdded. Roedden nhw'n gwisgo mewn du o'u corun i'w traed - het fawr ddu, gŵn ddu, menig du, sgidiau du, ac yn cario ffon â baner ddu. Doedden nhw ddim yn cael siarad o gwbl achos nhw oedd Y MUDION. Eu gwaith nhw oedd codi ofn ar bawb a gwneud pawb yn yr angladd yn fwy diflas fyth.

Y cwestiwn mawr ar ôl pob angladd oedd 'Faint oedd yna?'. Roedd pawb eisiau angladd FAWR IAWN (wel, nid y person marw wrth gwrs, achos fydde fe neu hi ddim callach). Un ffordd o gael llawer o bobl dlawd i ddod i'ch angladd chi oedd trwy roi cot aeaf gynnes iddyn nhw i'w gwisgo. Yr unig broblem oedd fod yn rhaid cael llythrennau'r person marw oedd wedi rhoi arian i brynu'r got ar y cefn (fel tîm pêl-droed, ond nad ydyn nhw wedi marw, wrth gwrs!).

Pan fuodd Richard Parry, y Cwm, Llanelwy, farw yn 1649 roedd 50 o ddynion tlawd wedi cael gwahoddiad i'w angladd e a phob un wedi cael cot newydd sbon â'r llythrennau R.P. ar eu cefnau.

Flwyddyn yn ddiweddarach gallen nhw fod wedi cael cot newydd arall os bydden nhw'n mynd draw i Landygái, ger Bangor, i angladd John Williams, Archesgob Efrog. Roedd e bron fel cael bws cefnogwyr yn mynd o un angladd i'r llall.

Ysgolion Ysglyfaethus Oes y Tuduriaid

Mae'n siwr fod rheolau twp iawn gan eich ysgol chi. Ond roedd rheolau llawer iawn mwy twp yn ysgolion ysglyfaethus oes y Tuduriaid.

RHEOLAU YSGOL RAMADEG RHUTHUN 1590

DIM merched (trueni neu hwrê?)
Mae'r ysgol yn dechrau am 6 o'r gloch y bore.
RHAID bod â wyneb a dwylo glân bob amser.
DIM mynd i'r ffair neu'r farchnad yn Rhuthun.
DIM chwarae dîs, cardiau na phêl.
DIM siarad Cymraeg.
RHAID i'r bechgyn bach siarad Saesneg drwy'r amser.
RHAID i'r bechgyn mawr siarad Lladin neu Groeg drwy'r amser (dim Saesneg).

Ond roedd ambell reol ddiddorol hefyd:

Dydy athrawon ddim yn cael curo'r bechgyn ar eu clustiau, eu llygaid, eu trwynau na'u hwynebau (wrth gwrs, mae digon o lefydd ar ôl – eu penolau, eu coesau, eu cefnau . . .). DIM gwersi mathemateg (HWRÊ!).

Dyn o'r enw Gabriel Goodman oedd wedi dewis y rheolau yma ar gyfer Ysgol Ramadeg Rhuthun. (Ydych chi'n meddwl ei fod e'n haeddu'r enw '*Good man*'?)

Ar ôl gorffen yn yr ysgol ramadeg byddai meibion y bonedd (y bobl fawr) yn mynd i brifysgol Rhydychen neu Gaergrawnt yn Lloegr (doedd dim prifysgol yng Nghymru). Fel hyn ysgrifennodd William Wynn o'r Glyn, sir Feirionnydd (tua 1637) at ei fab ym Mhrifysgol Rhydychen (yn Saesneg roedd *e*'n ysgrifennu wrth gwrs):

Annwyl Cadwaladr,
Dim ond gair bach wrth i ti ddechrau dy dymor yn y Coleg. Cofia wneud ffrindiau â myfyrwyr gonest sy'n casáu yfed a smocio (cyngor call iawn – diolch, Dad). Paid â siarad Cymraeg gyda phobl sy'n gallu siarad Saesneg . . . dyna sut byddi di'n dysgu siarad Saesneg yn berffaith. Byddai'n well gen i petait ti'n cadw cwmni gyda Saeson gweithgar a gonest. Paid â chadw cwmni gyda'r Cymry sy'n fwy diog a gwrthryfelgar na'r Saeson. Bydd yn fachgen da yn y Coleg.

Dy dad diflas a dwl,
William Wynn

Roedd rhai Saeson snobyddlyd yn chwerthin am ben y Cymry yn y prifysgolion hyn. Mae John Williams, Cochwillan, yn disgrifio sut roedd e'n cochi i gyd wrth siarad Saesneg achos fod pawb yn cael hwyl am ben ei acen Gymreig e.

Ble roedd ble a phwy oedd pwy?

Roedd pawb (bron) yn oes y Tuduriaid trafferthus a'r Stiwartiaid syrffedus yn credu fod gan bob person ei le arbennig yn y byd. Duw oedd wedi penderfynu ble roedd y lle hynny.

Fel mewn ysgol heddiw roedd rhywun ar y top, tipyn o bobl yn y canol a llawer iawn o bobl ar waelod yr ysgol:

A phetai'r ysgol yn troi ar ei phen – gyda'r pennaeth ar y gwaelod a'r disgyblion ar y top – byddai popeth BENdramwnwgl a'r byd wedi troi wyneb i waered.

Felly Pwy oedd Pwy,

a

Ble roedd Ble

yn y

Cyfnod Modern Cynnar?

BRENIN / BRENHINES

PENDEFIGION

(Dim ond tua 20 o rai cyfoethog iawn oedd yng Nghymru)

*** Y BONEDD ***

(NHW oedd yn bwysig – nhw oedd yn rheoli popeth)

Y FFERMWYR

(ar ffermydd bach, digon tlawd)

Y GWEITHWYR

(tlawd iawn – yn cael eu talu'n wael)

**** Y TLODION ****

(tlawd iawn, iawn, iawn – miloedd ar filoedd ohonyn nhw yn crwydro'r wlad yn cardota ac yn codi ofn ar bobl)

Saith Prawf Pendant eich bod CHI yn un o'r BONEDD BALCH*

1 Dod o deulu bonheddig. Os gallech chi adrodd eich llin-ach (hanes atgas eich teulu) 'nôl am ganrifoedd, yna roedd hynny'n profi eich bod yn un o'r Bonedd.

2 Awydd i droi'ch cefn ar y byd Cymraeg a dod ymlaen yn y byd trwy siarad Saesneg trwy'r amser (dim byd newydd, felly!). Newidiodd rhai eu henwau Cymraeg crachach yn enwau Saesneg swanc:

3 Crafangu gymaint o dir â phosibl trwy ddwyn oddi ar eich cymdogion a lladrata tir mynydd a thir comin oddi ar y tlawd.

4 Dal cynifer o swyddi pwysig â phosibl – siryf, Aelod Seneddol, Ynad Heddwch (i ddal troseddwyr) . . . Dyma rai o swyddi Syr John Wynn o Wydir, Llanrwst:

Aelod Seneddol Sir Gaernarfon 1586-
Siryf Sir Gaernarfon 1587-8; 1603
Aelod Seneddol Sir Feirionnydd 1588-9; 1600-01
Aelod Seneddol Sir Ddinbych 1606-07
Ei wneud yn Syr (marchog) 1606
Ei wneud yn Farwn 1611
Buodd e farw wedi blino'n lân yn 1627!

5 Adeiladu plas mawr crand a ffasiynol iawn gyda gwydr (nid papur) yn y ffenestri; simneiau uchel, tal; llefydd tân gwych gyda'ch arfbais arnyn nhw; llofftydd mawr ac oriel hir i gerdded 'nôl a 'mlaen ynddi ar dywydd gwlyb. A llenwi'r plas â dodrefn newydd, ffasiynol fel bwrdd a chadeiriau (dim ond meinciau oedd i gael cyn hyn); cwpwrdd dillad smart (i ddal eich holl ddillad drud); carpedi; a gwely pedwar postyn penigamp.

6 Treulio'ch amser hamdden yn hela a saethu ac yn ymladd cleddyfau, neu'n cael arlunydd enwog i wneud portread ohonoch chi a'ch gwraig a'ch teulu.

7 Gwisgo'n ffasiynol iawn BOB AMSER.

Sioe ffasiwn: Bonheddwr a'i Wraig yn Oes y Tuduriaid trafferthus

OND erbyn Oes y Stiwartiaid roedd y ffasiwn wedi newid yn llwyr.

Sioe Ffasiwn: Bonheddwr a'i Wraig yn Oes y Stiwartiaid syrffedus

Yn Oes y Stiwartiaid, er hynny, roedd un grŵp yn hoffi gwisgo'n atgas o blaen a bo-ring – mewn lliwiau hyll fel du a llwyd. Roedden nhw'n torri'u gwalltiau yn fyr iawn iawn ac yn grwn am eu pennau. Dyna pam y cafodd y Piwritan ei alw yn Ben-grwn.

** Y Tlodion Truenus **

Ar waelod yr ysgol roedd y tlodion truenus:

DIM CARTRE; DIM GWAITH; DIM TEULU; DIM ARIAN; DIM DILLAD CRAND

Ac roedd miloedd ohonyn nhw'n crwydro'r wlad ac yn codi ofn ar bawb. Ond o ble roedden nhw wedi dod?

- wedi cael eu taflu allan o'r mynachlogydd pan gaewyd nhw;
- wedi cael eu taflu oddi ar y tir comin gan y bonedd a'r ffermwyr;
- wedi cael eu hanafu yn y fyddin neu ar y môr;

- ac roedd yna rai oedd ddim eisiau gweithio na byw yn deidi chwaith.

A chafodd y Llywodraeth y syniad syfrdanol o GOSBI pawb oedd yn dlawd ac yn druenus:

Deddfau Dychrynllyd y Tlodion Truenus

1531: Pob crwydryn i gael ei ddal, ei glymu, tynnu'i ddillad a'i chwipio trwy strydoedd y dref (dyna ddysgu gwers iddyn nhw, felly).

1547: Gwarthnodi pob crwydryn – llosgi siâp V gyda haearn eirias o boeth ar ei groen e (byddai pawb yn gallu 'i nabod e wedyn!).

1572: Chwipio pob crwydryn a thorri twll yn ei glust neu ei hoelio at goeden – os oedd e wedi troseddu (torri'r gyfraith).

1601: Penderfynon nhw fod 3 math o berson tlawd truenus:

(i) rhai ifanc – rhaid iddyn nhw weithio
(ii) rhai hen a sâl – rhaid iddyn nhw fynd i fyw i elusendy
(iii) rhai diog a drwg – cosb a charchar iddyn nhw.

Ond roedd y Cymry'n eitha caredig wrth y tlawd truenus – yn gadael iddyn nhw grwydro'r wlad a'r ffermydd yn cardota am fwyd a nwyddau i fyw.

Cwis bach cyflym am gardota

Beth oedden nhw'n ei gasglu, tybed, os oedden nhw'n mynd allan i wneud y canlynol:

(a) lloffa;
(b) cawsa;
(c) blawta;
(ch) blonega;
(d) gwlana;
(dd) hel calennig?

Atebion: (a) lloffa: casglu ŷd (nid lloi) oedd dros ben yn y caeau; (b) cawsa: hel caws (i helpu'r tlawd i freuddwydio); (c) blawta: casglu blawd (i wneud crempog); (ch) blonega: casglu bloneg neu saim (ych-a-fi); (d) gwlana: casglu gwlân (i wau sanau); (dd) hel calennig: casglu ffrwythau a bwyd ar ddydd Calan – Ionawr 1af.

Gwaith, Gwaith, Gwaith yn y Cyfnod Modern Cynnar

Y Prentis (gwas bach) Porthmon Pathetig

Un peth roedd y Cymry'n eitha da am ei wneud yn y Cyfnod Modern Cynnar oedd ffermio a magu anifeiliaid fel gwartheg, defaid a moch, ac adar fel gwyddau, hwyaid ac ieir. Ond er eu bod nhw'n dlawd iawn, iawn, a bron â llwgu eisiau bwyd yn aml, doedden nhw ddim yn lladd a bwyta'r anifeiliaid yma eu hunain. Roedden nhw'n eu gyrru nhw yr holl ffordd i Lundain i'w gwerthu. (Ac erbyn hynny roedd yr anifeiliaid mor denau doedden nhw ddim gwerth eu gwerthu!)

Ond fyddai'r ffermwyr ddim yn gyrru'r anifeiliaid i Lundain eu hunain. Bydden nhw'n talu porthmyn i wneud y gwaith drewllyd a pheryglus yma yn eu lle. Dwedodd un Cymro, John Williams o Gonwy (fe oedd Archesgob Iorc):

(Roedd e'n ddyn clyfar iawn, mae'n amlwg.)

Dyma ddarn o ddyddiadur dychmygol prentis pathetig o borthmon yn ystod Oes y Stiwartiaid syrffedus.

Dydd Llun Medi 5, 1635
Llangefni, Ynys Môn

Hwrê, dwi'n cael dianc o'r twll lle 'ma! Dwi'n cael mynd yn brentis porthmon (gwas bach yn dysgu'r gwaith – i chi a fi!) gyda Siôn Sais (maen nhw'n ei alw e'n Siôn Sais achos fe yw bron yr unig berson yn Llangefni sy'n gallu siarad Saesneg). Bydda i'n helpu Mr Sais i yrru anifeiliaid i Lundain.

A heddiw dechreuais ar y gwaith. Mae 250 milltir o Langefni i Lundain ac mae'n rhaid paratoi'r anifeiliaid i gerdded yr holl ffordd trwy wneud yn siŵr bod esgidiau da ganddyn nhw. (Na, nid o siop esgidiau!) Mae'n rhaid pedoli'r gwartheg – a dyna i chi olygfa wyllt! Huw y Gof yn taflu rhaff am ddau gorn hir brawychus y bustach a dyn arall yn cydio yn un droed ac yn ei faglu e nes fod y bustach ar ei gefn ar lawr. (Peidiwch chi â thrio hyn gyda buwch neu darw mewn cae, cofiwch!) Wedyn clymu coesau'r bustach yn sownd a hoelio pedolau o dan ei draed e.

Dwi'n hoffi dy sgidie newydd di!

Ches i ddim helpu gyda'r pedoli achos ro'n i'n rhy brysur gyda'r gwyddau – hen adar mawr gwyn cas sy'n hisian a chnoi. Ro'n nhw'n cael eu pedoli hefyd. Ro'n nhw'n cael eu gyrru trwy dar poeth ac roedd hwnnw'n sticio at eu traed nhw. Wedyn ro'n nhw'n cerdded trwy dywod – a dyna bâr o esgidiau newydd sbon smart ar gyfer y daith. (Dyw Mam ddim yn gallu fforddio pâr newydd o esgidiau i fi ar gyfer y siwrnai – tybed ddylwn i gerdded trwy dar a thywod hefyd?) Dwi wedi blino nawr – gwely amdani.

Dwi wedi codi yn y byd!

Dydd Mercher, Medi 7, 1635
Ochr clawdd, Bangor

Diwrnod rhyfedd iawn – croesi afon Menai gyda'r gwartheg, y defaid a'r gwyddau. Roedd yn rhaid i'r gwartheg nofio ar draws. Clymodd Siôn raff am gorn y bustach cynta a dilynodd y lleill e i'r dŵr a nofio i'r ochr draw (strôc pili pala ro'n nhw'n ei wneud!). Yn anffodus roedd llond fy nghwch i o ddefaid a gwyddau – mewn panic. (Dwi'n ffansïo gŵydd swnllyd, seimllyd i swper heno. Falle a' i allan yn y funud â sling a bwledi plwm i ladd un. Dwi'n ffansïo gwely plu gwyddau hefyd!) Mae'n hen bryd i rywun adeiladu pont ar draws afon Menai.

Dydd Mawrth, Medi 13, 1635
Rhywle yn ymyl Wrecsam

Dwi wedi blino'n lân ac wedi cael digon ar y gwaith diflas diddiolch 'ma. Mae e, Siôn Sais, yn cael bywyd braf yn cerdded o flaen yr anifeiliaid ac yn galw ym mhob tafarn i gael peint neu ddau ar y ffordd. Mae e'n meddwl ei fod e mor bwysig yn gweiddi 'Haip Trwwwwww . . . ww!' ar y gwartheg. Pan mae pobl yn clywed y waedd yna maen nhw'n rhedeg i'w tai i guddio neu bydd yr anifeiliaid yn siŵr o'u bwrw nhw i lawr!

Ond ble ydw i a gweddill y porthmyn yn gorfod cerdded? Tu ôl i'r anifeiliaid. Sut fyddech chi'n hoffi edrych ar benolau gwartheg a defaid drwy'r dydd, bob dydd? Ac maen nhw'n gollwng eu carthion ac yn piso drwy'r amser. Meddyliwch faint o faw a budreddi mae 200 o wartheg a 1000 o ddefaid yn gallu'i gynhyrchu! A dwi'n gorfod cerdded drwy ei ganol e.

Ac ar ben hyn i gyd dwi'n gorfod cysgu gyda'r anifeiliaid bob nos – yng nghornel cae neu mewn sgubor i wneud yn siŵr na fydd lladron yn eu dwyn nhw.Mae chwain a llau yn fy mwyta i'n fyw. Mae Siôn yn cael cysgu mewn gwely cyfforddus yn y dafarn ond cha i ddim mynd i mewn trwy ddrws tafarn hyd yn oed, achos y chwain a'r drewdod. Mae pawb yn dal eu trwynau pan welan nhw fi'n dod.

Dydd Sadwrn, Medi 17, 1635
Rhywle yn Lloegr

Dyna ddyn rhyfedd yw'r bòs! Mae'n rhaid ei fod e'n eitha clyfar, achos i fod yn borthmon mae'n rhaid i chi gael trwydded yn dweud eich bod chi'n briod, yn gallu ysgrifennu, a dros 30 oed. OND mae e'n ddyn ofnadwy o gybyddlyd a mên. Mae sawl tollborth ar y ffordd i Lundain ond dyw Siôn ddim yn fodlon talu'r tollau. Weithiau mae e'n gwneud i ni gerdded milltiroedd allan o'r ffordd i osgoi talu. Dim ond os ydych traed chi'n cyffwrdd â'r ddaear mae'n rhaid i chi dalu wrth dollborth, felly mae e'n gwneud i fi reidio bustach, dal gŵydd dan bob braich a dafad am fy ngwddw!

Ac mae'r ffyrdd yn ddifrifol, ddifrifol o wael – tyllau, pyllau a dim lle i basio unrhyw un. Mae'r Goets Fawr a'i theithwyr crachach yn mynd yn grac iawn pan maen nhw'n cael eu dal tu ôl i ni gyda'r gwyddau'n cerdded yn ara bach a'r gwartheg yn rhuthro ar y blaen. Mae angen i rywun adeiladu traffordd i Lundain, wir! Diwrnod rhydd fory achos dyw porthmyn ddim yn cael teithio ar ddydd Sul – grêt!

Dydd Mawrth, Medi 20, 1635
ar y Welsh Road i Lundain

Diwrnod anhygoel o gyffrous! Cawson ni'n stopio gan leidr pen-ffordd. Dwi ddim yn siŵr iawn *ble* ro'n ni – Wolverhampton? . . . neu Dunstable? . . . mae enwau'r llefydd Saesneg 'ma mor anodd eu cofio. Ond yn sydyn ymddangosodd y lleidr llechwraidd ar gefn ceffyl mawr brown o du ôl coeden. Roedd ganddo fe ddryll a gwaeddodd e 'Stopiwch neu fe saetha i chi – dewch â'ch arian i fi!' Doedd y gwartheg ddim yn ei ddeall e wrth gwrs a cherddon nhw yn syth ymlaen. A druan â'r lleidr – doedd dim arian gyda ni o gwbl, dim hyd yn oed gan Siôn Sais, achos ar y ffordd *i* Lundain ro'n ni, i werthu'r anifeiliaid, ac nid ar y ffordd *adre* â'r arian. Ac roedd dau o'r porthmyn praff eraill wedi cuddio yng nghanol y gwartheg. Codon nhw i fyny'n sydyn a saethu'r lleidr yn ei ben â bwled plwm o sling. Syrthiodd e fel sach o datws i'r llawr a rhedodd Siôn Sais ato a'i saethu'n farw yn ei ben gyda'i ddryll ei hunan. (Fydd y lleidr pen-ffordd yna ddim yn poeni teithwyr eto!) Gadawon ni'r corff lle roedd e i gael ei fwyta gan anifeiliaid y goedwig, ond aethon ni â'i geffyl a'i gyfrwy e i'w gwerthu yn Llundain. Gobeithio y ca i beth o'r arian yna.

Gobeithio y galla i gysgu heno ar ôl y ddrama ddychrynllyd yna.

Dydd Gwener, Medi 25, 1635
yn ymyl Llundain

Bron â chyrraedd, diolch byth. A dweud y gwir dwi wedi cael hen ddigon ar y gwaith brwnt, drewllyd a pheryglus yma.

Dwi ddim eisiau bod yn brentis porthmon byth eto a dwi ddim hyd yn oed eisiau gweld Llundain. Y broblem gyda Llundain ydy, mae hi mor bell o bob man! – wel, o Langefni, beth bynnag!

A dwi wedi clywed fod Siôn Sais, y porthmon parchus, yn bwriadu dwyn yr arian gaiff e yn Llundain wrth werthu'r anifeiliaid a dianc i Iwerddon. (Siôn Wyddel fydd e wedyn, mae'n siŵr! A beth am ei wraig e druan?)

Dwi'n mynd i ddechrau cerdded adre fory – dim ond 250 milltir i fynd.

Nos da nawr.

Oeddech chi'n gwybod?

Ffeithiau ffiaidd am waith . . . gwaith . . . gwaith:

1. Mai defaid y Cyfnod Modern Cynnar oedd y pyncs cyntaf? Roedd y ffermwyr ffyslyd yn torri tyllau rhyfedd yng nghlustiau eu defaid er mwyn gallu'u 'nabod nhw. Ac roedd ganddyn nhw yr enwau rhyfedda am y tyllau yma, fel: tafod llyffant; twll calon; corn pigyn byr!

2. Fod Cymry ardal Tyndyrn, yn ymyl Casnewydd, yn weithwyr anobeithiol yn ôl Almaenwr afiach o'r enw Schutz. Daeth e i'r ardal i redeg gwaith gwneud weiren yn 1566. Dwedodd e, 'Mae'r Cymry'n weithwyr mor ddwl – dy'n nhw'n gwneud dim gwaith da o gwbl!'

Collodd Schutz £800 (llawer iawn o arian bryd hynny) yn ei flwyddyn gynta am fod y Cymry mor dwp, medde fe. Ond erbyn 1603 roedd e wedi newid ei feddwl siŵr o fod achos roedd 600 o Gymry'n gweithio iddo fe, a 10,000 arall yn gwneud pethau o'i weiren e. Erbyn hyn roedd e'n ddyn cyfoethog iawn. (Diolch i'r Cymry!)

3. Yn sir Benfro roedd bechgyn bach yn gorfod gweithio lawr dan ddaear mewn pyllau glo. Eu gwaith nhw oedd cario llond tua 80–100 casgen o lo y dydd mewn basgedi ar eu cefnau. Roedden nhw'n cael eu lladd fel pŷs yn y gwaith:

- Pridd yn syrthio arnyn nhw a'u mogi;
- Dŵr yn llifo i'r pwll a'u boddi;
- Nwyon cas yn eu tagu.

Dyna drasig!

4. Pan geision nhw agor melin i doddi plwm yn Nhreffynnon yn 1589 roedd y sgweier lleol, Piers Mostyn, yn grac iawn. Doedd e ddim eisiau gwaith drewllyd yn ymyl ei blasty bendigedig e! Ac roedd pobl Treffynnon yn cytuno ag e. Doedden nhw ddim yn hoffi'r llygredd yn lladd eu gwartheg ac yn dinistrio'r afonydd. Ymosodon nhw ar y felin sawl gwaith a'i dinistrio. Nhw enillodd yn y pen draw. (Doedd dim Mistir ar y Mistar Mostyn yma, felly!)

Gwragedd Gwirion yn y Cyfnod Modern Cynnar

Ydych chi wedi sylwi ar unrhyw beth arbennig ynglŷn â'r hanesion hyll yn y llyfr yma, hyd yn hyn? Mae'r rhan fwya ohonyn nhw'n sôn am fywydau diflas dynion. Ond roedd bywydau gwragedd yn gallu bod yn fwy diflas fyth – yn enwedig os oedden nhw wedi priodi.

Er gwell, er gwaeth?

Pan briododd Jane Owen o sir Benfro tua 1600, rhoddodd ei thad hael swm enfawr o arian yn anrheg i'w gŵr hi, David Lloyd o sir Gaerfyrddin. Roedd hyn yn arferiad handi os oedd gyda chi ferch hyll a'ch bod eisiau cael gwared â hi. Ond doedd David Lloyd ddim yn hapus – roedd e wedi gobeithio cael llawer o dir hefyd. Felly, mewn tymer wyllt, ymosododd e ar ei wraig newydd. Taflodd hi i lawr y grisiau, hollti'i phen hi â phastwn, ei hanafu hi â'i gleddyf, bwrw 4 o'i dannedd o'i phen hi a thynnu'i gwallt hi allan yn gudynnau trwchus (y cyfan am damaid o dir!). Does dim sôn beth ddigwyddodd iddo fe am fod mor greulon.

Cosbi Conen

Os oedd gwraig yn swnian a chonan ar ei gŵr drwy'r amser, gallai e ei chosbi hi trwy ei rhoi mewn genfa cecren – ffrâm haearn oedd yn ffitio fel carchar am ei phen, â darn o fetel yn mynd i mewn i'w cheg. Fyddai'r gecren ddim yn gallu symud ei thafod, heb sôn am gonan a swnian arno fe.

Gwerthu gwraig

Pan fyddai pethau wedi mynd i'r pen rhwng gŵr a gwraig byddai ambell ŵr yn mynd â'i wraig i'r ffair i'w gwerthu fel anifail. Roedd Sam Cornel Dŷ eisiau gwerthu ei wraig, Mari Griffiths, yn ffair Llanybydder tua 1700. Dwedodd Sam wrth y gynulleidfa sut un oedd hi. Gan ei fod e eisiau ei gwerthu hi disgrifiodd e bopeth roedd hi'n gallu'i wneud fel hyn:

Yn y diwedd prynodd Siaci Llwyd, Tŷ Simnai, sir Gaerfyrddin hi am ddim ond £1 (bargen?).

Ewyllys da?

Doedd dim modd dianc bob amser chwaith, hyd yn oed pan fyddai eich gŵr wedi marw:

Ewyllys John Glynne, Plas Newydd, Llandwrog, 1681

Dwi, John Glynne, sgweier Plas Newydd, yn gadael £600 (llawer o arian yr adeg yma) i'm gwraig annwyl. OND os bydd hi'n ailbriodi ag unrhyw un arall o'r enw Glynne, fydd hi ddim yn cael ceiniog o'r arian.

Ond roedd ambell fenyw feistrolgar yn gallu ymdopi'n iawn, diolch yn fawr:

Oriel y gwragedd gorchestol

Priodi bedair gwaith!

Margaret Beaufort (1443–1509)

Gŵr 1: Dim ond saith oed oedd Margaret pan briododd hi fachgen bach 6 oed – John de la Pole (chwarae plant?). **Gŵr 2**: Yna penderfynodd ei bod yn well ganddi Edmwnd Tudur, a chyn ei bod yn 14 oed roedd hi wedi'i briodi e, wedi cael mab, Harri, ac roedd Edmwnd druan wedi marw!

Gŵr 3: Henry Stafford – buodd e farw.
Gŵr 4: Yr Arglwydd Thomas Stanley.

Dim ond un plentyn gafodd Margaret – Harri Tudur – a fe oedd cannwyll ei llygaid. Buodd hi'n brysur iawn yn cynllwynio iddo fe ddod yn frenin Lloegr a Chymru yn 1485. Roedd Margaret yn fenyw gyfoethog iawn, iawn ond ar ddiwedd ei hoes dewisodd hi fyw fel lleian a gwisgo crys o flew ceffyl nesa at ei chroen – i'w phigo a'i phigo. (Efallai ei bod wedi cael digon ar ddynion erbyn hyn.) Saesnes oedd Margaret Beaufort ond roedd hi'n ffan ffantastig ac yn fam i Harri Tudur, ac felly mae hi'n bwysig yn hanes haerllug Cymru. Tipyn o fenyw!

Catrin o Ferain (1534–1591)

Gŵr 1: Siôn Salsbri o Leweni – roedd e wedi marw erbyn 1566.

Gŵr 2: Syr Rhisiart Clwch o Ddinbych – masnachwr llwyddiannus iawn yn Ewrop. Adeiladodd e blasty crand o friciau, tebyg i dai'r Iseldiroedd, yn Bachegraig, Tremeirchion. Ond roedd y bobl leol yn meddwl fod y cynllun yn rhyfedd iawn ac yn credu mai'r Diafol oedd y pensaer. Roedd stori fod Syr Rhisiart yn hoffi gwylio'r sêr mewn ystafell fach yn y to a'i fod e'n mynd yno i siarad gyda'r Diafol. Un diwrnod daeth Catrin i sbïo arno fe a diflannodd y Diafol mewn pwff o fwg. Yn ôl stori arall, ymosododd Catrin ar ei gŵr a thasgodd ei waed ar hyd waliau'r ystafell wely. Maen nhw'n dweud nad yw hi'n bosibl glanhau'r gwaed oddi ar y waliau hyd yn oed heddiw. Bu farw Syr Rhisiart dramor yn 1570, ond cafodd ei galon a'i law dde eu hanfon yn ôl mewn cist arian i'w claddu yn yr Eglwys Wen, Dinbych.

Gŵr 3: Maurice Wynn o Wydir. Mae stori ei fod e wedi gofyn i Catrin ei briodi e pan oedd hi'n dod allan o angladd ei gŵr cynta.
Gŵr 4: Edward Thelwall, Plas y Ward, Dinbych.

Bydd e'n drwm ei glyw 'nawr, beth bynnag!

Ond sawl gŵr gafodd Catrin mewn gwirionedd? Ar ôl i Catrin farw dechreuon nhw ddweud pob math o straeon syfrdanol amdani. Roedden nhw'n dweud ei bod wedi priodi 8 gwaith i gyd a'i bod hi wedi lladd y gwŷr eraill trwy arllwys plwm wedi toddi i'w clustiau – a'u bod nhw i gyd wedi'u claddu yn y berllan yn y Berain. (Ond mae haneswyr sy'n hoffi'r 'gwir i gyd' yn amau'r straeon syfrdanol yma am Catrin o Ferain.)

Rhwng popeth cafodd Catrin lawer o blant a llys-blant. Roedd hi'n perthyn i bawb o bwys (hyd yn oed o bell, bell i Elizabeth I) ac felly mae hi wedi cael ei galw'n 'Mam Cymru'.

Sgandal yr Arglwyddes Fach: Agnes Needham o Sir Amwythig

Stori dditectif y Cyfnod Modern Cynnar!

Agnes oedd ail wraig Syr Richard Bulkeley, sir Fôn. Pan oedd e i ffwrdd fel Aelod Seneddol yn Llundain tua 1571 cafodd hi amser braf gyda thri dyn arall. Roedden nhw'n canu caneuon hyfryd iddi o dan ffenest ei hystafell wely. Ar ôl i Syr Richard ddod adre aeth e'n dost iawn – roedd e'n mynd i'r tŷ bach drwy'r amser, roedd bola tost gydag e ac roedd pothelli dros ei goesau. O fewn tri mis roedd e wedi marw.

Ond sut? Oedd yr Arglwyddes Fach wedi rhoi gwenwyn – arsenig neu arian byw – yn ei ddiod e? (Credwch neu beidio – mae arian BYW yn gallu lladd!) Pan ddaethon nhw i chwilio'r plas ffeindion nhw bowdwr gwyn wedi'i guddio mewn papur yn sliperi felfed yr Arglwyddes. (Beth ydych chi'n ei feddwl – ydy hyn yn swnio'n amheus?) Yn lwcus i'r Arglwyddes Fach, er gwaetha'r powdwr gwyn, chafodd hi mo'i dal.

Y gosb am wenwyno rhywun yn y Cyfnod Modern Cynnar oedd berwi'r person yn fyw mewn olew!

Gwarchod y Byd! Gwrachod brawychus Oes y Tuduriaid a'r Stiwartiaid

Roedd ar bobl y Cyfnod Modern Cynnar ofn gwrachod yn fawr iawn, iawn. Pasiodd y Senedd sawl deddf drist i'w dal a'u cosbi. Cafodd miloedd o wrachod eu llosgi neu'u crogi:

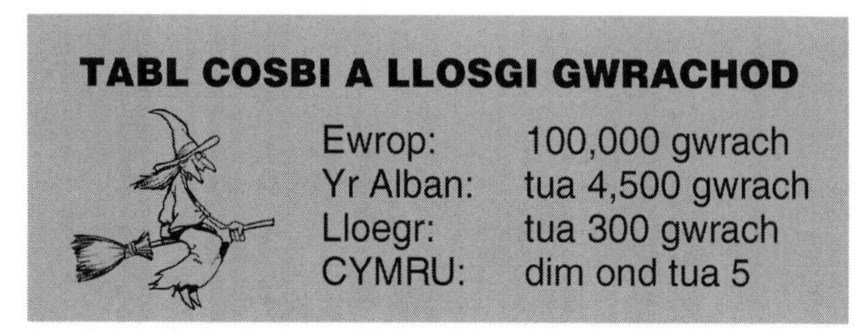

TABL COSBI A LLOSGI GWRACHOD

Ewrop:	100,000 gwrach
Yr Alban:	tua 4,500 gwrach
Lloegr:	tua 300 gwrach
CYMRU:	dim ond tua 5

Marciau isel i Gymru, felly. (Da iawn, Cymru.)

Petaech chi'n byw bryd hynny byddai'r cyngor yma wedi bod yn ddefnyddiol iawn:

SUT I 'NABOD GWRACH *(wrth gerdded lawr y stryd)*

- menyw – hen ferch dlawd, hyll, gyda llygaid croes, gwefus flewog, a llais gwichlyd (doedd dim llawer o ddynion hyll yn wrachod);
- bydd hi'n byw ymhell o bob man;
- bydd cath ddu neu lyffant melyn ganddi.

Cafodd Gwen ferch Elis o sir Ddinbych ei chyhuddo o fod yn wrach yn 1595 am fod pryfyn rhyfeddol o fawr ganddi yn y tŷ. Roedden nhw'n dweud mai'r Diafol oedd e. Cafodd Gwen ei chrogi am fod yn wrach.

Profion pathetig eraill i ddal gwrachod

1. **Nofio Gwrach**: clymu bawd ei llaw dde wrth fawd ei throed chwith a bawd ei llaw chwith wrth fawd ei throed dde. Yna ei thaflu i'r afon. Os oedd hi'n gallu nofio, yna roedd hi'n wrach a byddai'n cael ei llosgi neu'i chrogi. Os oedd hi'n suddo roedd hi'n ddieuog – ond yn boddi beth bynnag!

2. **Stôl Drochi**: clymu'r wraig mewn stôl drochi a honno'n sownd wrth bolyn hir. Yna trochi'r wraig lan a lawr mewn pwll dwfn o ddŵr nes ei bod yn cyfaddef ei bod yn wrach – neu'n marw, wrth gwrs. Yn Nolgellau, enw'r stôl oedd 'Y Gadair Goch' ac roedd pwll ar afon Wnion lle roedden nhw'n arfer trochi hen fenywod hyll yn rheolaidd.

Sut i gadw Gwrach i ffwrdd

Cariwch ddarn o rosmari, teim neu lafant o dan eich trwyn.

Plannwch goeden gelyn neu gerddinen o flaen eich tŷ. Bydd yr aeron cochion yn cadw ysbrydion drwg a gwrachod i ffwrdd. (Bydd hyn yn cymryd o leia 20 mlynedd, gwaetha'r modd!)

Gwnewch arwydd y groes.

Gwnewch siâp cylch o gwmpas eich trwyn.

Sut i Reibio Person (*rhoi swyn cas ar berson – PEIDIWCH â defnyddio'r rhain yn yr ysgol*)

Cael darn o wallt neu ewinedd y person ry'ch chi eisiau ei reibio. Ei roi mewn cŵyr a gwneud siâp neu ddelw o'r person. Yna gwthio pinnau i mewn iddo. Bydd anlwc yn siŵr o ddilyn. Cafodd Tangwystl ferch Glyn ei chyhuddo yn 1500 o reibio John Morgan, Esgob Tyddewi, (dyn pwysig iawn) trwy wneud hyn. Roedd yr Esgob wedi trio stopio Tangwystl rhag caru gyda dyn priod cyfoethog lleol. Roedd

Tangwystl fod i fynd o flaen y llys am reibio'r Esgob, ond buodd e farw'n sydyn (tybed pam?)!

Cael hyd i lyffant byw a gwthio pinnau i mewn iddo fe. Yna'i roi e mewn crochan â chaead llechen ar ei ben. Ysgrifennu enw'r person rydych chi eisiau ei reibio ar y caead. Swyn llwyddiannus iawn.

Melltithio person arall trwy weiddi geiriau cas iawn. Gwnaeth Elizabeth Parry o Ddinbych hyn. Un diwrnod gwelodd hi fenyw yn godro buwch a dwedodd hi 'Mae'r Diafol yn bendithio dy waith'. Ar y gair syrthiodd y fuwch ar ben y fenyw a bu bron iddi farw.

Sut i Ddad-Reibio (*cael gwared â swyn cas*)

† Gwneud siâp croes yn y llwch wrth draed y wrach a phoeri arno (ar y siâp nid ar y wrach!).

† Curo'r peth sy wedi cael ei reibio yn dda â brigyn o'r ddraenen wen (yn anffodus mae pigau bach cas ar y ddraenen wen).

Dau Achos Difrifol o Witsio

Y GWIR a dim ond y GWIR?

(*Penderfynwch chi*)

1. Mewn Llys Barn yn Sir Fflint yn 1657

Barnwr: Pwy sy'n cael ei chyhuddo?

Ann: Ann Elis o Lannerch Banna – gwraig dlawd iawn, Syr, yn byw ar wau sanau a chardota o gwmpas y ffermydd.

Tyst 1: Roedd Ann Elis wedi troi'r menyn ro'n i'n ei gorddi yn sur achos ro'n i'n gwrthod rhoi arian iddi.

Ateb Ann: Ond roedd y menyn wedi troi'n sur achos y tywydd poeth, Syr.

Tyst 2: Fe wnaeth Ann Elis fy merch i'n sâl trwy'i melltithio hi, Syr.

Ateb Ann: Ond y cyfan wnes i oedd gweiddi arni am ei bod hi wedi dwyn bara o nhŷ i. Dwi mor dlawd.

Tyst 3: Mae Ann Elis wedi dod ag anlwc ofnadwy i fy mab i, Richard. Mae e wedi mynd yn gloff yn sydyn. Ac mae e'n fachgen mor dda.

Ateb Ann: Mor dda! Fe ddringodd e i fyny ar ben to fy mwthyn bach tlawd i a defnyddio'r simnai fel tŷ bach! Ac fe aeth e'n gloff ar ôl syrthio yn chwarae pêl, nid achos mod i wedi dweud dim byd wrtho fe. Wir-yr Syr.

Tyst 3: Wel, efallai nad yw e'n sant ond fe wnaeth hi ei reibio fe – wir rŵan.

CHI yw'r barnwr. Oedd Ann Elis yn euog ac yn haeddu cael ei chosbi trwy gael ei chrogi neu'i llosgi?

(Penderfynodd y llys ei hanfon hi i'r carchar ond wedyn cafodd hi fynd yn rhydd. Efallai eu bod hwythau'n methu penderfynu chwaith!)

2. **Euog Heb Brawf**

Mae hanes Dorti Ddu – gwraig fawr iawn o ardal Llandecwyn, sir Feirionnydd – yn ddigon i godi gwallt eich pen chi.

Roedd pobl yr ardal wedi cael llond bol ar Dorti Ddu a'i rheibio rhyfygus – yn troi menyn a llaeth yn sur, yn gwneud pobl ac anifeiliaid yn sâl, yn melltithio a rhegi pawb. Felly penderfynon nhw gosbi'r wrach frawychus eu hunain heb fynd â hi i'r llys.

Aethon nhw â hi i ben craig uchel uwchben Llyn Tecwyn. Rhoion nhw hi mewn casgen, pwnio hoelion hir i mewn trwy'r ochrau a chau'r gasgen yn dynn. Yna taflon nhw'r gasgen (a Dorti druan) dros ymyl y dibyn i'r llyn. Syrthiodd y gasgen a malu'n dipiau, a chorff Dorti'n ddarnau ar y gwaelod. Roedd tafod Dorti wedi stopio melltithio am byth!

Yn 1735 pasiodd y Senedd ddeddf yn gwahardd erlid gwrachod a hen fenywod diniwed.

Chwarae'n Troi'n Chwerw

Pan nad oedd y werin wyllt yn lladd eu hunain yn gweithio roedden nhw'n lladd eu hunain, neu bobl eraill, wrth chwarae pob math o chwaraeon chwyslyd a pheryglus.

Byddwch yn ofalus os ydych chi'n trio chwarae'r rhain!

Cnapan

Gwerin wyllt sir Benfro oedd yn hoffi'r gêm wallgo yma:

Roedd angen:
- Dim rheolau
- Dim dyfarnwr
- 2 dîm o unrhyw nifer, dynion a menywod, ar gefn ceffyl neu ar droed. (Weithiau byddai 1,500 yn chwarae'r gêm wallgo yma.) Gallwch chi daflu neu gicio'r bêl (a chicio'r tîm arall hefyd).
- Gwisg: dynion – dim ond trowsusau; menywod yn eu peisiau.
- Pêl gron – y cnapan – o ddarn o bren wedi'i ferwi mewn gwêr i'w wneud e'n llithrig, neu stumog buwch yn llawn gwynt. (Gofalwch fod y fuwch wedi marw yn gynta!)

Y tîm oedd yn ennill oedd yr un oedd yn gallu cario'r cnapan mor bell i ffwrdd fel nad oedd gobaith ei gael e'n ôl y noson honno.

Disgrifodd rhywun y gêm wallgo yma fel hyn:

‘Mae rhai yn torri eu gyddfau, rhai eu cefnau, rhai eu coesau, rhai eu breichiau. Ac mae gwaed yn llifo o’u trwynau, a’u llygaid bron allan o’u pennau. Mae llawer o dynnu gwalltiau a barfau (y dynion, wrth gwrs!).’

Dyna hwyl, yntê?

Dringo polyn seimllyd

Roedd angen:
- 2 bolyn hir, uchel wedi’u gorchuddio â saim gŵydd neu saim mochyn nes eu bod yn llithrig iawn.
- 2 ddyn i gystadlu – am y cynta i ddringo’r polyn.

Fyddai neb yn mynd yn agos at y dynion ar y diwedd, roedden nhw’n drewi gymaint!

Dyna gamp, yntê?

Ond hoff sbort Cymry creulon y Cyfnod Modern Cynnar oedd gêmau gwarthus gydag anifeiliaid ac adar.

RHYBUDD! PEIDIWCH Â CHWARAE'R GÊMAU GWARTHUS YMA GARTRE!

Ci yn Baetio Tarw

Roedd angen:
- tarw mawr cryf mewn tymer ddrwg.
- ci mawr (mastiff os yn bosibl) mewn tymer waeth.

A dyna ni – rhoi'r ddau gyda'i gilydd mewn cylch a'u gadael i ymladd. Weithiau byddai'r tarw yn taflu'r ci i fyny i'r awyr ar ei gyrn a byddai e'n torri ei gefn wrth lanio. Roedd y chwarae yn gorffen pan oedd y tarw neu'r ci bron â marw a gwaed dros bob man.

Dyna 'sbort', yntê?

Ymladd Ceiliogod

Roedd angen:
- 2 geiliog mewn tymer ddrwg.
- talwrn neu fynwent i gynnal yr ornest.

Cyn dechrau byddai perchennog pob ceiliog wedi:
- torri crib (nid crib gwallt – does dim gwallt gan geiliog!) y ceiliog, achos pan fyddai'n rhwygo wrth ymladd byddai'n gwaedu dros bob man.
- rhoi'r ceiliog ar ddeiet i'w wneud yn ffit a chryf.
- clymu ysbardunau (pigau metel) am goesau'r ceiliog.

Wedyn byddai pawb yn betio pa geiliog fyddai'n ennill. Y ceiliog oedd yn fyw ar y diwedd oedd y PENCAMPWR.

Os byddai ceiliog yn ddigon call i redeg i ffwrdd yn lle ymladd, yna byddai'n cael ei ladd a'i fwyta.

Rhagor o 'sbort', yntê?

Dyrnu'r Iâr

Sbort sbeitlyd i'w chwarae ar Ddydd Mawrth Ynyd neu Ddydd Mawrth Crempog oedd hwn. Roedd angen wyau i wneud crempog, ac os nad oedd iâr wedi dodwy wy byddai'n cael ei chosbi.

Roedd angen:
- Iâr oedd wedi methu dodwy.
- Dynion â mygydau am eu llygaid ac yn cario ffyn.

Yn y 'sbort' yma byddai'r iâr yn cael ei chlymu wrth bolyn yng nghanol y cae. Yna byddai'r dynion yn trio dyrnu'r iâr â ffyn. Yr un fyddai'n lladd yr iâr fyddai'n cael ei bwyta i swper.

Dyna i-ârdderchog, yntê!

HELA'R DRYW BACH

Roedd angen:

- Dryw bach – rhaid ei hela yn gynta.
- Tŷ bach twt o bren, gyda rhubanau'n hongian arno, i ddal y dryw bach.
- Criw o fechgyn i gario'r tŷ bach (nid y toiled!) o gwmpas y tai ac i ganu.
- Weithiau bydden nhw'n lladd y dryw a rhannu'i gorff e rhwng eu ffrindiau gan ganu'r gân fach greulon yma:

> *Hegal (coes) i Dibyn a hegal i Dobyn,*
> *Adain i Risiart ac adain i Robin,*
> *Hanner y pen i Siôn pen y stryd,*
> *A'r hanner arall i'r cwbwl i gyd.*

Roedden nhw'n hoffi chwarae'r 'sbort' yma adeg y Nadolig. Dyna Nadoligaidd, yntê?

Ond doedd pob sbort ddim mor greulon a gwaedlyd. Dyma gêmau y gallwch chi eu chwarae gartre:

Taflu Coits

Bydd angen:

- Darn o haearn wedi'i blannu yn y ddaear.
- Pedolau ceffyl (cofiwch dynnu'r ceffyl yn rhydd yn gynta!).

Pawb yn sefyll yn bell oddi wrth yr haearn ac yn taflu pedol o'i gwmpas. Gallwch chi lunio eich system sgorio eich hunain.

Chwarae Dîs

Bydd angen:

- 2 ddîs.
- Pobl sy'n gallu cyfrif i ddeuddeg.
- Unrhyw nifer i chwarae.

Taflu'r ddau ddîs gyda'i gilydd – yr un â'r rhif ucha sy'n ennill.

Roedd pobl yn hoffi betio pwy fyddai'n ennill ac fe fydden nhw'n ymladd ymysg ei gilydd yn aml.

Yn 1590, cafodd Gruffudd ap Tudur ei arestio yn ffair Wrecsam am guddio dau ddîs i lawr ei drowsus mewn lle amheus iawn!

Cystadleuaeth Lledwenu

Bydd angen:

• Llawer o bobl hyll, salw, hagr, di-olwg neu â wynebau fel lastig i gystadlu ar dynnu wynebau hyll!

Yr un sy'n gallu tynnu'r wyneb hylla sy'n ennill. (Gallech chi feddwl am wers Hanes ofnadwy a byddai hynny'n help.) Rhaid bod yn ofalus neu bydd eich wyneb yn aros yn hyll am byth!

Twrnameint

Roedd gan y bobl gyfoethog eu 'sbort' eu hunain, sef lladd ei gilydd mewn twrnameintiau.

Yn 1507 trefnodd Syr Rhys ap Tomos o gastell Caeriw, sir Benfro, dwrnameint dramatig i ddathlu fod y brenin

wedi'i wneud e'n 'Farchog Urdd y Gardys Aur' (bandyn i'w wisgo am dop y goes oedd y gardys aur).

Daeth tua 600 i'r wledd fawr a buon nhw'n bwyta, yfed, hela ac ymladd am 5 diwrnod.

Uchafbwynt yr ŵyl oedd drama gyda Dewi Sant (nawddsant Cymru) yn cerdded i fyny at St George (nawddsant Lloegr) ac yn ei gofleidio'n gynnes. Roedd hyn i fod i ddangos sut roedd Cymry fel Syr Rhys yn barod i fod yn ffrindiau gyda'r Saeson 'nawr.

Ar ôl y ddrama fach bert yna aeth y marchogion 'nôl i ymladd, anafu a bron lladd ei gilydd yn y twrnameint.

Troseddu Trychinebus a Chosbi Chwithig

Hobi heintus y Cyfnod Modern Cynnar oedd meddwl am ffyrdd ffiaidd i gosbi unrhyw un oedd yn troseddu – yn gwneud unrhyw beth MAWR neu fach i dorri'r gyfraith.

Ceisiwch chi fod yn Ynad Heddwch (rhywun oedd yn gofalu am gyfraith a threfn) a phenderfynwch chi pa gosb oedd yn mynd gyda phob trosedd.

Troseddu Trychinebus	Cosbi Chwithig
1. 1556: Lowri ap Rhys o Betws – dwyn torth o fara a 6 cosyn o gaws, eiddo Lewis ap David.	**A.** Crogi.
2. 1550: Bonheddwr o'r enw Morris ap Eliza o Glenennau wedi taro Robert ap Gruffudd â chleddyf nes bod ei ymennydd e'n tasgu allan o'i ben e i bob cyfeiriad. Buodd Robert farw. Felly cyhuddiad o lofruddiaeth.	**B.** Rhoi mewn genfa cecren (ffrâm haearn am y pen â darn o fetel yn mynd i'r geg i rwystro'r tafod rhag symud).
3. 1557: Margaret ferch Ieuan o Ffestiniog – dwyn caws gwerth 1 geiniog, a 2 geiniog o arian, eiddo Lewis ap Siôn, Clynnog.	**C.** Rhoi mewn cyffion.

Troseddu Trychinebus	Cosbi Chwithig
4. 1577: Lewis ap Gruffudd – cael ei ddal yn cardota yn Nhrefynwy.	**CH.** Chwipio drwy'r dref a thrwy'r dref drws nesa.
5. 1597: John Clerk o Galcot, Sir y Fflint – dwyn un anifail bob wythnos.	**D.** Rhwng 10 y bore ac 1 y prynhawn, tynnu ei dillad oddi ar ei chorff (y rhan ucha), ei chlymu wrth gert a cheffyl, a'i thynnu ar hyd Stryd Fawr y dre; wrth Borth yr Aur ei chwipio hyd at y Porth Mawr nes bod ei chorff yn waed i gyd. Yna ei rhoi yn y rhigod.
6. 1541: John ap Dafydd o Gaernarfon – tresmasu ar dir Richard ap William, Bangor yn y nos a dwyn llond 5 wagen o wair, gwerth 20 ceiniog.	**DD.** Crogi.
7. 1563: Robert ap David o Gaernarfon – dwyn mesur o galch gwerth 10 ceiniog.	**E.** Clymu wrth ddarn o bren ar siâp T, ei chwipio a'i fflangellu.

Troseddu Trychinebus	Cosbi Chwithig
8. Margaret, morwyn yn Ynyscynhaiarn – rhegi ar ddydd Sul. 	**F.** Chwipio ac yna gyrru hoelen trwy'r glust yn sownd wrth bolyn yn y farchnad yn y dre.
9. 1686: Grace Rowland – dwyn dafad gwerth 4 swllt.	**FF.** Cael pardwn gan y brenin – talu arian mawr i ddod yn rhydd.
10. 1649: Elin Hughes o Gaernarfon – conan a swnian yn ddiddiwedd ar bawb a chodi helynt rhwng pobl yn y dre.	**G.** Rhoi mewn rhigod â nodyn yn dweud arno beth roedd e wedi'i wneud o'i le.

Sut Ynad Heddwch oeddech chi? Gobeithio eich bod yn ddigon creulon ac wedi cosbi'n ddigon cas.

1 a CH: Roedd y Tuduriaid trafferthus yn hoffi chwipio a fflangellu troseddwyr trychinebus;

2 a FF: Dim ond dyn cyfoethog fel Morris ap Eliza oedd yn gallu fforddio talu arian mawr i brynu pardwn gan y brenin. Ac fel roedd hi'n digwydd roedd ei dad e, Eliza, yn Ynad Heddwch hefyd! (Chware teg, yntê!);

3 a F;

4 ac E: Roedd cardota'n drosedd ddifrifol yn Oes Elizabeth, yn enwedig os oeddech chi'n ddyn ifanc iach a fyddai'n gallu gweithio;

5 ac A: Roedd dwyn anifeiliaid yn hobi heintus a pheryglus iawn (doedd dim byd gwell na chig dafad i swper);

6 a DD;

7 a G: Roedd sefyll mewn rhigod gyda'ch pen a'ch breichiau trwy dyllau bach yn ddiflas tu hwnt. Os byddech chi yno am oriau byddai'ch corff yn blino ac yn dechrau cwympo, wedyn gallai eich gwddf dorri'n ddau – a byddech chi'n marw;

8 a C: Doedd y cyffion – yn dal eich traed yn sownd – ddim mor greulon â'r rhigod, ond byddai pobl yn cael hwyl fawr am eich pen chi. Bydden nhw'n taflu pob math o bethau drewllyd ac annymunol atoch chi, fel wyau a thatws pwdwr neu hyd yn oed piso a charthion y tŷ bach. Yn ardal Dolgellau roedd ganddyn nhw ddau set o gyffion – un ar olwynion er mwyn cael dangos y troseddwr trychinebus i bawb drwy'r dre. (Mae'n rhaid fod pobl ddrwg iawn yn Nolgellau – slawer dydd, wrth gwrs!);

9 a D;

10 a B: Genfa'r gecren – rhagor am hyn ac am fenywod cecrus a chwynfannus yn 'Gwragedd Gwirion'.

Doedd dim llawer o bobl yn cael eu rhoi mewn carchar am gyfnod hir (dim fel heddiw) yn y Cyfnod Modern Cynnar, a doedd dim llawer o le mewn carcharau. Câi gofalwr carchar ei gosbi trwy ei grogi os byddai carcharor yn dianc. Felly roedd e'n gofalu clymu pob carcharor yn dynn mewn cyffion a gefynnau.

Ond yn 1589 cerddodd menyw allan o garchar Dinbych â chadwynau am ei choesau. Aeth i ymweld â'r farchnad yn y dre, dwyn darn o ddefnydd, padell bres a mochyn ac wedyn . . . cerddodd hi 'nôl i mewn i'r carchar! Mae'n siŵr fod y gofalwr wrth ei fodd yn ei gweld hi'n dod 'nôl!

Un broblem fawr iawn i bob troseddwr trychinebus oedd mai Saesneg oedd iaith swyddogol pob llys barn (dyna Ddeddf ddifrifol o ddwl Harri VIII). Doedd y troseddwyr ddim yn gallu deall beth oedd yn cael ei ddweud amdanyn nhw yn y llys, na beth fyddai'u cosb nhw chwaith!

Cofiwch, mae Haneswyr haerllug yn dweud 'nawr bod llawer mwy o Gymraeg yn y llysoedd barn mewn gwirionedd neu fyddai hi ddim yn bosibl cwblhau unrhyw fusnes. Roedd rhai o'r cyfieithwyr yn dda iawn am dwyllo Ynadon Heddwch oedd ddim yn deall Cymraeg.

Fforio a Morio

Mae'r môr wedi chwarae rhan bwysig yn Hanes atgas Cymru.

Yn anffodus, doedd dim fforwyr na morwyr medrus fel Christopher Columbus neu Ferdinand Magellan yn hanu o Gymru – dim ond Thomas Button o Blas Worleton, ger Caerdydd. Cafodd e waith anodd iawn. Yn 1589 roedd Henry Hudson, y fforiwr ffantastig, wedi mynd ar goll ym Mae Hudson (dyna gyd-ddigwyddiad rhyfedd, yntê?!) yn ardal fwyaf gogleddol gogledd Canada. Cafodd Thomas Button ei anfon i chwilio amdano fe. Ond cafodd e a'i longau eu dal ym Mae Hudson drwy'r gaeaf oer iawn, iawn, iawn. I gadw'n fyw saethon nhw gannoedd o adar petris gwyn (bwyd ffres neis iawn). Does dim sôn a ffeindion nhw Henry Hudson neu beidio, ond mae dau le yno – New Wales ac Ynysoedd Button – yn ein hatgoffa ni o'r hanes (diolch, Mr Button!).

Nid am fforwyr na morwyr, ond am fôr-ladron mae'r Cymry'n enwog. Dyma i chi hanesion hyll pedwar o'r môr-ladron mwya mileinig:

(i) John Callice o Dyndyrn, Sir Fynwy

Cipiodd e long o Bortiwgal yn 1573. Roedd cargo gwerthfawr iawn – siwgwr – ar fwrdd y llong a gwerthodd John y siwgwr i gyd a phrynu ei long ei hun, sef yr *Olyphant*, gyda'r arian. Wedyn, buodd e'n dwyn oddi ar longau o bob math oedd yn hwylio o Iwerddon i Ffrainc.

A dweud y gwir, roedd y Frenhines Elizabeth I yn eitha bodlon iddo fe ddwyn aur ac arian o longau'r Catholigion!

Cyn bo hir, er hynny, roedd yn rhaid dal y môr-leidr mentrus. Un noson cafodd e 'i weld yn Hwlffordd; cafodd ei ddal ac aethon nhw ag e i'r Tŵr yn Llundain. Ond a gafodd John Callice ei grogi fel pob môr-leidr mileinig arall? Naddo! Rhywsut llwyddodd e i gael pardwn y Frenhines a dianc o'r Tŵr yn ddyn rhydd!

(ii) Huw Gruffydd o Gefnamlwch, Llŷn

Capten llong a droiodd yn fôr-leidr. Yn 1599 daeth e adre i weld ei deulu a hwyliodd i Fiwmaris i ymweld â Syr Richard Bulkeley. Ond roedd llongau'r gyfraith ar ei ôl e. Carlamodd ei frawd, John, yr holl ffordd i Fiwmaris i'w rybuddio. Gwerthodd e y cargo drud, prynodd Syr Richard Bulkeley y llong a 'diflannodd' Huw (doedd dim gobaith dal môr-ladron pan oedd Ynad Heddwch fel Syr Richard yn cydweithio â nhw oedd e?).

Roedd Huw Gruffydd yn ddyn creulon iawn, medden nhw. Roedd e'n curo'r morwyr ac yn arteithio capteiniaid llongau i'w gorfodi i ddweud wrtho fe ble roedden nhw wedi cuddio'u trysorau.

(iii) Tomas Prys o Blasiolyn, Sir Ddinbych

Tipyn o dderyn. Roedd Tomas eisiau gwneud ei ffortiwn yn gyflym. Prynodd e long a dechrau ymosod ar longau o Sbaen gyda'i ffrind, Pyrs Gruffudd. Roedden nhw'n mwynhau gymaint nes iddyn nhw ddechrau ysgrifennu cerddi doniol at ei gilydd yn sôn am eu hanturiaethau anhygoel. Mae rhai o'r cerddi'n llawn geiriau Saesneg, fel hon sy'n sôn am ymosod ar long:

> Shwt (shoot) again, broad-side, gynner (gunner)!
> We'll be braf if we haf her.

Beth fyddai'ch athrawon Cymraeg chi'n ei ddweud petaech chi'n ysgrifennu Cymraeg bratiog fel hyn?

Treuliodd Tomas Prys lawer o'i amser yn Llundain. Roedd e'n dweud mai fe oedd y cynta i ysmygu tybaco ar strydoedd y ddinas fawr.

(iv) Sianti Fôr am Harri Morgan, y Môr-leidr Mwya Melltigedig o'r Cyfan

Dylech chi roi cynnig ar ddawnsio dawns y morwyr wrth ganu'r sianti fôr yma:

Gwrandewch nawr ffrindiau ar hyn o gân
Am Harri Morgan o Lan*rym*ni lân;
Cipiwyd gan forwyr pan yn fachgen ffri
A'i anfon draw yn was i'r Caribî.

Cyn pen chwinciad Harri Morgan oedd
Y lleidr mwya milain weloch chi erioed;
Dwyn trysorau o Mecsico i Banama
Arteithio'r capteiniaid 'nôl yn Jamaica.

Ym mil chwe chant chwe deg a naw
Roedd Harri'n hwylio tua Maracaibo draw,
Pan ddaeth fflyd o longau Sbaenwyr cas
A'i gau'n yr harbwr – doedd dim modd mynd mas.

Ond llanwodd Harri un o'i longau'n llawn
Powdwr gwn a thar a chynnau tân mawr iawn,
A'i gyrru'n syth at long y *Magdalena*
Nes fod honno'n ffrwydro – do wir, ta! ta!

Ond roedd llongau Harri yn dal yn gaeth
A gynnau'r Sbaenwyr yn eu gwylio o'r traeth;
'Chwarae tric fydd raid,' meddai Harri'n llawn sbri,
'Tom, Dic a Parri, dewch chi gyda mi;

Dwi am i chi rwyfo dynion 'nôl a 'mlaen,
'Nôl a 'mlaen, 'mlaen a 'nôl, a 'nôl a 'mlaen,
Nes fod y Sbaenwyr yn eu twpdra mawr
Yn credu yn wir fod 'da ni fyddin fawr.'

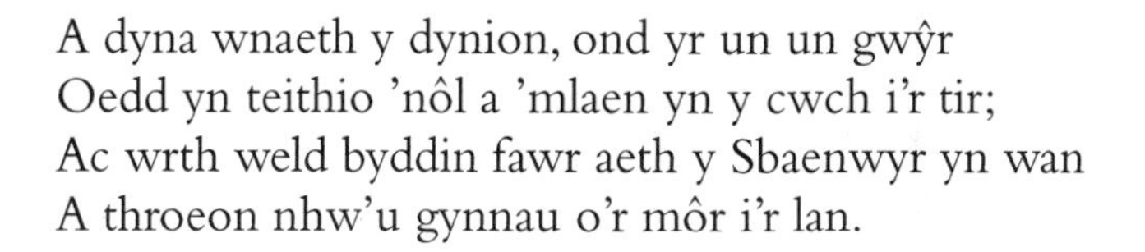

A dyna wnaeth y dynion, ond yr un un gwŷr
Oedd yn teithio 'nôl a 'mlaen yn y cwch i'r tir;
Ac wrth weld byddin fawr aeth y Sbaenwyr yn wan
A throeon nhw'u gynnau o'r môr i'r lan.

Ac felly, yn dawel fach, yn hwyr noson honno
Hwyliodd Harri Morgan o harbwr Maracaibo
Â llawer o aur o long y *Magdalena*
Yn ddiogel mewn cist, i ddiogelwch Jamaica.

Ymhen tair blynedd roedd y môr-leidr ffri
Unwaith eto'n Panama yn dwyn trysorau di-ri;
Ac er iddyn nhw'i daflu'n y carchar am sbel
Roedd y Brenin Charles yn hoffi'r boi bach del.

A gwnaeth y Brenin y môr-leidr aflan
Yn Llywodraethwr Jamaica ac yn *Syr* Harri Morgan.
A chafodd Harri fywyd digon braf
Yn torheulo'n haul y Caribî drwy'r haf.

Ond mae diwedd y stori yn ddiflas iawn –
Dechreuodd yfed rỳm* nes ei fod e'n llawn,
Ei fol wedi chwyddo a'i lygaid yn felyn;
Pydrodd ei arennau – ac roedd hi'n Amen wedyn!

[* Mae rỳm Harri Morgan yn boblogaidd heddiw ac mae llun Harri ar y botel o hyd!]

Cafodd Harri Morgan ei gladdu yn Port Royal, Jamaica. Ond yn 1692, bedair blynedd ar ôl iddo fe farw, bu daeargryn enfawr yn Port Royal a chafodd bedd Harri a'r dre i gyd eu hysgubo i ffwrdd i waelod y môr mawr (eitha gwaith, a'r lle iawn i fôr-leidr mor felltigedig!).

Llanast y Llongddrylliad

Mae creigiau creulon o gwmpas arfordir Cymru, ac mewn tywydd stormus iawn byddai llongau hwylio'n cael eu dryllio arnyn nhw. Roedd y Cymry wrth eu bodd pan fyddai hynny'n digwydd achos bydden nhw'n gallu dwyn y cargo a chael sbri mawr ar y traeth, ar ôl yfed y brandi a'r gwin i gyd.

Un tro buodd cystadleuaeth ofnadwy rhwng dau deulu cyfoethog atgas ym Morgannwg:

TEULU SYR GEORGE HERBERT, Stiward Arglwyddiaeth Gŵyr; Aelod Seneddol Morgannwg yn byw yn y Plas, Abertawe. Roedd e'n casáu Mansell a'i deulu.	**TEULU RHYS MANSELL**, plasau Oxwich a Margam. Roedd gydag e 'i fyddin fach breifat ei hun o 50 o ddynion. Roedd e'n casáu Herbert a'i deulu.
Rhagfyr 26, 1557 yn y Rheithordy yn Oxwich. Roedd criw o foneddigion lleol yn cael cinio Nadolig blasus. Yn sydyn agorodd y drws a daeth 5 milwr gwlyb a blinedig i mewn.	Milwr: 'Help! mae *le* llong ar *les* creigiau. Pawb *est mort*!' Neidiodd y boneddigion i fyny – milwyr o Ffrainc! – ac roedd Prydain yn ymladd yn erbyn Ffrainc ar y pryd. 'Taflwch nhw i'r carchar,' medden nhw.
Rhedodd y boneddigion a phawb yn y pentre i lawr i'r traeth i ddwyn cargo'r llong oedd wedi dryllio ar y creigiau. Cawson nhw almonau, resins, gwlân a ffigys. A chafodd Rhys Mansell lond wagen o bethau da o bob math i fynd 'nôl gydag e i Gastell Oxwich.	Ond roedd George Herbert wedi clywed am y llongddrylliad, ac fel Siryf Morgannwg roedd e'n dweud mai FE, nid Mansell, oedd bia'r cargo a'r carcharorion. Rhuthrodd e lawr i gastell Oxwich ar unwaith.

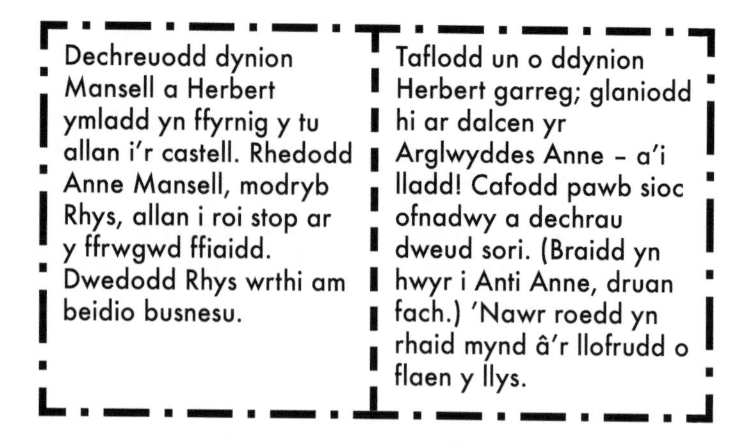

Ond cyn i'r ffrwgwd droi'n Rhyfel Cartre yn Abertawe, daeth Elizabeth I yn Frenhines yn 1558 a phenderfynodd hi roi pardwn i bawb (chwarae teg i Liz!).

Dyna ddiwedd ar lanast y llongddrylliad!

Rhagor o Gecru am Grefydd

Y Protestaniaid enillodd rownd gynta y cecru a'r cweryla am grefydd. Trechon nhw y Catholigion. Erbyn tua 1600 dim ond 808 (medden nhw – ond efallai fod un neu ddau arall yn cuddio mewn tyllau ac ogofâu) o Gatholigion oedd ar ôl yng Nghymru i gyd.

ROWND DAU:
'Nawr roedd y Protestaniaid wedi dechrau cecru a chweryla ymysg ei gilydd.

John Penry, y Protestant pryfoclyd

Doedd dim byd yn plesio John Penry. Roedd e'n Biwritan ac eisiau 'puro' Eglwys Loegr. Symudodd e i fyw o Langamarch, sir Frycheiniog, i Lundain er mwyn gallu cwyno a beirniadu'r Eglwys yn iawn. Roedd e'n credu fod yr Eglwys yn warthus:

Wnaeth e ddim llawer o ffrindiau wrth ysgrifennu llyfrau yn dweud pethau fel yna! *Pen*derfynodd yr Eglwys a'i *phen*naeth hi – Y Frenhines – ei grogi. Collodd e 'i *ben* ar 29 Mai, 1593.

Cyn iddo fe gael ei ddienyddio ysgrifennodd e lythyr at ei bedair merch fach – Comfort, Deliverance, Safety a Sure Hope. Yn anffodus, fuodd eu henwau nhw ddim yn llawer o gysur na gobaith iddo fe, druan!

A dweud y gwir, doedd neb bron yn gwybod am John Penry, y merthyr dros Gymru, yng Nghymru achos roedd e'n ysgrifennu ei lyfrau yn Saesneg a doedd neb bron yn gallu darllen o gwbl, heb sôn am ddarllen Saesneg.

Y Piwritaniaid Piwis

Fuodd y Piwritaniaid ddim yn boblogaidd iawn yng Nghymru. Does dim syndod, a dweud y gwir, achos roedd ganddyn nhw ryw reolau rhyfedd. Efallai eu bod nhw'n hoffi difetha hwyl pawb arall:

Pump Gorchymyn y Piwritaniaid Piwis

1. Dim darllen sothach (fel yr Hanes Atgas yma) – dim ond y Beibl.
2. Dim chwarae pêl ar ddydd Sul (mynd i weld Cymru'n chwarae ar ddydd Sadwrn, felly).
3. Dim rhegi (Dario!).
4. Dim gwisgo dillad moethus – dim ond dillad plaen, bo-ring.
5. Dim dathlu'r Nadolig (dim Siôn Corn, dim presantau, dim cinio Nadolig . . .).

Does dim rhyfedd nad oedd pobl yn eu hoffi nhw. Ac roedd ambell ficer 'feri sad', fel y Ficer Prichard o Lanymddyfri, sir Gaerfyrddin, yn cytuno â nhw. Canodd e gannoedd o benillion bach atgas yn dweud wrth y Cymry sut i fihafio a beth oedd yn dda iddyn nhw:

Gwell nag aur a gwell nag arian,
Gwell na'r badell fawr na'r crochan;
Gwell dodrefnyn yn dy lety
Yw'r Beibl bach, na dim a feddi
(h.y. na dim byd sy gen ti).

Fel y gwelwch chi, doedd dim llawer o siâp ar yr Hen Ficer fel bardd (gallech chi ysgrifennu gwell penillion na'r rhain) ond roedd y Cymry'n hoffi'i waith e ac yn gallu rhaffu pennill ar ôl pennill ar eu cof:

Nid diwrnod i loetran
Nac i feddwi, nac i fwlian,
Ond diwrnod i ti weithio
Gwaith dy Dduw yw'r Sul, tra dalo.

(Dyna chi'n gwybod, felly!)

Y Crynwyr Crynedig

Math o Biwritaniaid oedd y Crynwyr crynedig. Ond roedd y syniadau mwya rhyfeddol o ryfedd ganddyn nhw. Roedden nhw'n credu fod rhyfel yn ddrwg a bod PAWB yn gyfartal – cystal â'i gilydd!!! – syniad syfrdanol a hollol hynod yn y Cyfnod Modern Cynnar. Hoffech chi ymuno â nhw? Wel, bydd yn rhaid dilyn y canllawiau campus yma:

Canllawiau Campus Y Crynwyr

1. *Peidiwch tynnu'ch het, bowio na gwneud cyrtsi i unrhyw un (dim hyd yn oed i'r Pennaeth).*
2. *Galwch bawb yn 'TI', dim 'CHI' (Triwch chi hyn gyda'ch athrawon i weld beth maen nhw'n ei feddwl.)*
3. *Cofiwch fod dynion a menywod yn gyfartal (wrth gwrs).*
4. *Peidiwch â gwneud llw ar y Beibl.*
5. *Peidiwch â thalu degwm (1/10 o'ch arian poced prin) i'r eglwys.*
6. *Peidiwch â mynd i mewn i eglwysi.*
7. *Peidiwch â chario arfau.*
8. *Peidiwch â bwyta mins peis.*

Roedd menywod y Crynwyr yn cael pregethu o gwmpas y wlad hyd yn oed, a doedd llawer o bobl ddim yn hoffi hyn. Cafodd llawer o'r Crynwyr eu cosbi am eu syniadau syfrdanol. Ysgrifennodd dyn o'r enw John Humphrey yr hanes hyll yn *Llyfr Mawr y Dioddefaint* (yn Saesneg, wrth gwrs) i ddisgrifio sut roedden nhw'n cael eu trin. Mae rhai o'r hanesion atgas yma yn y llyfr:

1658

Y gynulleidfa yn Llandaf, Caerdydd, yn ymosod ar Alice Birkett am iddi geisio siarad â'r offeiriad lleol (meddyliwch – siarad ag offeiriad!). Torron nhw'i dillad hi i ffwrdd a buon nhw'n taflu cerrig ati.

Elizabeth Holme yn cael ei thaflu i'r carchar yn Abertawe am dorri ar draws offeiriad yn siarad. Cafodd ei charcharu a'i chlymu â chadwyn wrth ei choes.

Doedd ymwelwyr ddim yn cael ei gweld hi na dod â bwyd iddi. Y cyfan roedd hi'n ei gael i'w yfed oedd cwrw wedi'i sugno trwy biben trwy'r drws.

1661

Milwyr yn torri ar draws cyfarfod y Crynwyr yn Llwyngwril, sir Feirionnydd. Casglon nhw'r menywod at ei gilydd a gwneud iddyn nhw redeg yn droednoeth, o flaen eu ceffylau, am 20 milltir ar draws gwlad.

Dwi ddim yn meddwl llawer o'r ffordd yma o gadw'n heini!

1662

Charles Lloyd o Ddolobran, sir Drefaldwyn, yn cael ei garcharu am wrthod mynd i'r eglwys! Roedd y carchar yn ffiaidd o frwnt. Penderfynodd ei wraig e, Elizabeth, adael eu babi bach nhw gyda ffrindiau a dod i fyw i'r carchar ato fe. Yn yr ystafell uwch eu pennau roedd troseddwyr a dynion drwg go iawn. Roedd eu carthion a'u piso nhw'n disgyn i lawr ar ben Charles ac Elizabeth Lloyd (ych-a-fi!). Buon nhw yn y carchar yma am ddeng mlynedd, tan 1672.

Yr Antur Fawr

Wedi cael digon? Eisiau byd gwell?
Gadewch eich trafferthion gartre!
Dewch draw i fyw i Wlad yr Addewidion:

GOGLEDD AMERICA

Tir a lle i bawb! Peidiwch â cholli'ch cyfle!

Cysylltwch â William Penn
a dewch i Pennsylvania!

A dyna wnaeth Thomas Lloyd, Dolobran (brawd Charles Lloyd). Roedd e a'i wraig wedi cael digon ar gael eu cosbi a'u carcharu fel Crynwyr. Felly pacion nhw'u bagiau (pyjamas, tedis a phopeth) a hwylio allan, gydag 8 o blant, ar long i Pennsylvania yn 1683. Aeth llawer o Grynwyr eraill o Gymru gyda nhw. Roedden nhw'n meddwl sefydlu 'Cymru fach' allan yno a rheoli'u hunain trwy gyfrwng yr iaith Gymraeg. Galwon nhw'r ardal a'r pentrefi yn Meirion, Newtown, a Haverford ar ôl enwau llefydd yng Nghymru. Gwnaethon nhw ffrindiau gyda'r Indiaid brodorol a daeth Thomas Lloyd yn un o arweinwyr Pennsylvania pan oedd William Penn i ffwrdd.

OND 'peth meddal yw meddwl', ac erbyn 1693 roedd Coron Lloegr wedi cymryd y dalaith drosodd a dyna ddiwedd ar y freuddwyd fawr Gymreig.

Y Stiwartiaid mewn Stiw: Y Rhyfel Cartre Cymysglyd

Mae Hanes haerllug y Rhyfel Cartre yn hynod gymysglyd. Mwy na thebyg nad oes gan eich athrawon Hanes chi DDIM CLIW pwy oedd yn ymladd pwy, na pham. Felly dyma GWIS CYMYSGLYD i'ch helpu i wybod mwy na'ch athrawon anobeithiol.

Cwis Cymysglyd am Y Rhyfel Cartre

1. Pwy oedd yn ymladd yn erbyn pwy yn y Rhyfel Cartre?

   (a) Gêm fideo atgas yw 'Rhyfel Cartre', gyda dau deulu'n ymladd a lladd ei gilydd i ennill cartre newydd.
   (b) Fel yn eich cartre chi – brodyr yn erbyn chwiorydd (a'r merched yn ennill, wrth gwrs!).
   (c) Y Brenin Charles I a'i ffrindiau yn ymladd yn erbyn y Seneddwyr.

2. Pryd oedd y Rhyfel Cartre?

   (a) Mae Rhyfel Cartre yn mynd ymlaen drwy'r amser yn eich cartre chi.
   (b) Rhwng 1642 a 1649.
   (c) Fel gyda gêmau pêl-droed, mae Rhyfel Cartre bob dydd Sadwrn a Rhyfel Oddi Cartre bob nos Fercher.

3. Pam oedden nhw'n ymladd yn y Rhyfel Cartre?

   (a) Roedd y brenin Charles I yn meddwl fod Duw wedi'i ddewis E i fod yn frenin i reoli'r bobl, felly roedd yn rhaid i bawb wrando arno fe.
   (b) Roedd y Seneddwyr yn dweud fod y bobl wedi'u dewis NHW i reoli'r wlad. (Sori, Charles!)
   (c) Doedd gan y Cymry ddim cliw pam roedden nhw'n ymladd achos doedd neb wedi egluro wrthyn nhw yn Gymraeg.

4. Ar ochr pwy oedd y Cymry?

   (a) Roedd y Cymry'n chwit chwat – yn newid ochr fel roedd y rhyfel yn mynd yn ei flaen.
   (b) Ar ochr y Brenin – achos roedden nhw'n eitha hoffi'r hen Charles.
   (c) Ar ochr y Senedd – yn enwedig pan oedd y Senedd yn ennill.

5. Sut filwyr oedd y Cymry?

   (a) Gwych – roedden nhw wrth eu bodd yn lladd a llofruddio.
   (b) Anobeithiol – roedden nhw'n rhedeg i ffwrdd yng nghanol brwydr.

(c) Go-lew – ond doedd dim arian gyda nhw i brynu arfau da.

6. Faint o ymladd fuodd yng Nghymru ei hun?

(a) Dim llawer – roedd gan y Brenin a'r Seneddwyr fwy o ddiddordeb yn Llundain nag yng Nghymru fach dlawd.
(b) Gormod o lawer – roedd Seneddwyr yn cuddio dan bob gwely ac ym mhob twll a chornel.
(c) Dim ond ambell frwydr fawr fuodd ar dir Cymru.

7. Beth oedd canlyniad y Rhyfel Cartre?

(a) Collodd Charles I ei ben – do, wir-yr!
(b) Daeth y Senedd i reoli'r wlad.
(c) Roedd y Seneddwyr mor anobeithiol yn rheoli penderfynodd yr arweinydd, Oliver Cromwell, reoli'r wlad ei hunan bach (math o mini-brenin ond yn galw'i hunan yn Amddiffynnydd y Bobl). Ond efallai fod angen Amddiffynnydd ar y bobl rhag Cromwell ei hunan!

ATEBION:

1(c); 2.(b).

3. Mae (a) a (b) yn gywir a (c) hefyd – doedd neb wedi meddwl egluro i'r Cymry yn Gymraeg pam roedden nhw'n ymladd. Ond yn 1653 (ychydig bach yn rhy hwyr) ysgrifennodd Morgan Llwyd lyfr rhyfeddol yn egluro'r Rhyfel trwy ddefnyddio tri aderyn: Eryr – yn cynrychioli'r Senedd; Colomen – yn cynrychioli'r Piwritaniaid (rhai o'r Seneddwyr 'pur'); Cigfran (aderyn atgas) – yn cynrychioli'r Brenin a'i ddynion. Ond roedd y llyfr braidd yn anodd ei ddeall ac roedd y Cymry'n fwy cymysglyd fyth ar ôl ei ddarllen e! (Diolch yn dalpe, Morgan Llwyd!)

4. Mae (b), (c) a (ch) yn gywir yma! – cymysglyd iawn. Ar y cyfan roedd y Cymry ar ochr y Brenin. Gwariodd rhai Cymry arian enfawr yn ei gefnogi e. Gwariodd Syr Roger Mostyn £60,000 i helpu'r brenin, medde fe. Ond roedd Cymry de Penfro ac ardal Wrecsam ar ochr y Senedd. A newidiodd sawl Cymro ei feddwl yn ystod y Rhyfel. Dyna ichi Syr Hugh Orielton – ar ochr y Senedd tan 1644, ar ochr y Brenin tan 1648 ac wedyn ar ochr y Senedd eto (fel ceiliog y gwynt!).

5. Yn anffodus mae (b) a (c) yn agos ati yma. Doedd dim enw da i'r Cymry fel milwyr. Roedden nhw'n cael eu galw'n 'Taffis tlawd' (nid losin) achos mai dim ond rhaw a phicwarch oedd ganddyn nhw i ymladd. A phan gafodd Thomas Dabridgecourt ei ofyn i roi trefn ar y milwyr o Gymru dwedodd e:

   Os byddai eich Mawrhydi [y brenin] yn fy rhoi i i reoli y Twrciaid [pobl gwlad Twrci nid twrcïod Nadolig] neu'r Iddewon neu unrhyw un arall, byddwn yn fodlon mynd yn droednoeth i wneud hynny, ond plîs (plîs, plîs) peidiwch â'm hanfon i at y Cymry!

   Roedd pamffledi pigog y Seneddwyr sarhaus yn dweud pethau gwarthus am y Cymry: 'Pobl sbeitlyd drygionus – maen nhw'n waeth na barbariaid!' (Neis yntê?!)

6. (c) Buodd tipyn o ymladd ac ambell frwydr bwysig fel Brwydr Sain Ffagan (NID yn yr Amgueddfa Werin cofiwch!) ar Fai 8, 1648. Yn rhyfedd iawn Seneddwyr o dde Penfro ddechreuodd yr Ail Ryfel Cartre yma. Yn sydyn roedden nhw wedi newid ochr i gefnogi'r Brenin.

Yr arweinwyr oedd Rice Powell, Rowland Laugharne a John Poyer, ac roedden nhw yn ymladd nawr yn erbyn eu ffrindiau, y Seneddwyr. Collon nhw a chafodd y tri arweinydd eu dal a'u dedfrydu i farwolaeth. Ond penderfynon nhw wneud raffl i ddewis UN i farw dros y ddau arall. Druan o Poyer – FE enillodd y wobr a chafodd ei saethu'n farw gan sgwad danio yn Covent Garden, Llundain. Cafodd 240 o ddilynwyr y tri rebel eu cosbi trwy'u hanfon allan i fyw i'r haul ar Ynysoedd y Barbados. (Cosb?!)

7. (a), (b) a (c) – Collodd Charles ei ben ar Ionawr 30, 1649. Yn ôl un Cymro oedd yn gwylio, clywodd e: 'ochenaid fawr gan y miloedd oedd yn bresennol. Chlywais i ddim byd tebyg o'r blaen a fyddwn i ddim eisiau clywed dim tebyg byth eto!'

Sêr Syfrdanol

Yn ystod cyfnod y Tuduriaid trafferthus a'r Stiwartiad syrffedus roedd y Cymry'n llawn hyder a daeth ambell un yn seren syfrdanol yn hanes Cymru, Lloegr a'r byd.

Profwch eich athrawon hanes i weld ydyn nhw wedi clywed am y dynion pwysig iawn hyn – a sgoriwch nhw â sêr:

Robert Recorde (1510–1558)

O Ddinbych-y-pysgod. FE ysgrifennodd y llyfrau mathemateg cyntaf yn Saesneg (seren ddu iawn am hynny) a FE ddyfeisiodd y symbol = i ddangos fod pethau'n hafal. Buodd e'n bennaeth ar y bathdy brenhinol (lle i wneud arian, nid bath y brenin) ac yn feddyg i Edward VI a Mari Tudur (ond buodd Edward farw'n 16 oed a Mari'n 42 oed – dyna feddyg da!). Buodd Recorde farw mewn carchar yn Llundain (eitha gwaith ag e am boeni plant Cymru gyda'i fathemateg). Nifer o sêr = ★★★

Thomas Jenkins *(dim syniad pryd cafodd e 'i eni na ble, na phryd fuodd e farw)*

Fe oedd athro dramodydd enwoca'r byd – William Shakespeare (1564–1616). Dysgodd Shakespeare bopeth gan y Cymro hwn yn Ysgol Ramadeg Stratford upon Avon. Maen nhw'n dweud fod Shakespeare yn meddwl am Thomas Jenkins pan ysgrifennodd e ran Syr Hugh Evans yn ei ddrama ddoniol *The Merry Wives of Windsor*. Mae Syr Hugh Evans yn siarad Saesneg fel roedd Shakespeare yn credu fod y Cymry'n siarad yr iaith – yn dweud pethau fel 'fery goot' am 'very good'; 'petter' am 'better'; a 'ork' am 'work'.
Nifer o sêr = ★★★★★

Anhysbys

Maen nhw'n dweud mai Cymro oedd yn byw yn oes Elizabeth oedd y cyntaf i ddyfeisio iaith ar gyfer pobl mud a byddar – a hynny yn Gymraeg. (Trueni i'r iaith yma fynd ar goll, yntê?)
Nifer o sêr: ★★★★★ – os bydd yr athrawon wedi clywed am hyn!

John Dee (1527–1608)

Er ei fod e wedi'i eni yn Llundain, roedd ei deulu'n dod o Bowys. Mathemategydd oedd John Dee, ond roedd e'n hoffi darllen y sêr hefyd. Roedd y Frenhines Elizabeth yn dwlu arno fe. Gofynnodd hi iddo fe brofi mai hi oedd bia tir newydd gogledd America. Fel Cymro, cofiodd Dee am stori'r Tywysog Madog oedd wedi hwylio i America, yn ôl y chwedl, yn 1170. Gan fod peth gwaed Cymreig yn Elizabeth (dropyn bach, bach) roedd hi'n perthyn i Madog. Doedd dim problem, felly, oedd e? (Dim ond i'r Sbaenwyr oedd eisiau'r tir hefyd, a'r bobl oedd yn byw yn y wlad yn barod.) Roedd rhai'n dweud fod Dee yn defnyddio pelen risial i siarad ag ysbrydion drwg.
Nifer o sêr: ★★★

Syr Hugh Myddleton (1560–1631)

Roedd e'n dod o Ddinbych. Gwnaeth e lawer iawn o arian trwy ei fusnes aur ac arian. Aeth e i fyw i Lundain. Ond roedd 180,000 o bobl eraill yn byw yn Llundain hefyd a doedd dim carthffosiaeth (pibelli i gario carthion tŷ bach i ffwrdd) na dŵr ffres i'r bobl i'w yfed yno. Roedd afon Tafwys yn llawn budreddi, sbwriel ac anifeiliaid marw, ac roedd y ddinas yn drewi ac yn afiach ofnadwy.

Penderfynodd Hugh Myddleton helpu i ddod â dŵr glân i Lundain gyda 'Chynllun yr Afon Newydd'. Gwariodd e £2,000 y mis ar y cynllun yma. Braidd yn sbeitlyd, dwedodd y Cymro Syr John Wynn am y fenter, 'Trueni na fydde fe wedi gwario peth o'i arian yn ei wlad ei hunan'. (Ond efallai fod pwynt teg gyda fe!)
Nifer o sêr: ★★★

Edward Lhuyd (1660–1709)

Cymry oedd ei rieni, ond roedd e'n byw dros y ffin yn Lloegr. Pan oedd e'n gweithio ym Mhrifysgol Rhydychen dechreuodd e ymddiddori yn y gwledydd Celtaidd a chasglu gwybodaeth am yr ieithoedd Celtaidd (Cymraeg, Gwyddeleg, Gaeleg . . .).

Ysgrifennodd e lyfr mawr (a diflas tu hwnt) o'r enw *Archaeologia Britannica.* Roedd e'n hoffi byd natur a phlanhigion hefyd. (Trueni ei fod e'n sillafu'i enw e'i hunan mor od, yntê?)
Nifer o sêr: ★★★

Faint o'r sêr syfrdanol yma mae eich athrawon Hanes chi wedi clywed amdanyn nhw? Sawl seren enillon nhw?

20–24: Sêr o athrawon, dylech gredu popeth maen nhw'n ddweud.
10–20: Gweddol – mae eisiau iddyn nhw ddarllen mwy a dysgu eu gwaith yn well.
1–10: Anobeithiol – peidiwch â gwrando dim yn eu gwersi.

Gwaetha'r modd, roedd ambell Gymro talentog o dwp hefyd, fel:

William Vaughan o Gelli Aur, Sir Gaerfyrddin (1575–1641)

Roedd e mor drist wrth weld llawer o'r Cymry'n dlawd iawn, iawn, nes iddo fe brynu tir yn Newfoundland ym mhegwn gogleddol gogledd America ac anfon Cymry bach diniwed allan i fyw yno. Galwodd e'r wlad newydd yn 'Cambriol' (fel Cymru). Aeth e ddim allan yno ei hunan (roedd e'n rhy gall i hynny). Roedd y wlad mor oer a diflas buodd y Cymry druan bron â rhynnu i farwolaeth. O fewn 12 mlynedd roedd yr arbrawf rhyfedd wedi methu'n llwyr a llawer o'r Cymry wedi dod 'nôl i Gymru dlawd i fyw. Seren ddu ★ iddo fe am fod mor dwp, a dwy seren ddu ★★ i'r Cymry am wrando arno fe.

Y DIWEDD (o'r diwedd!)

A dyna gloi hanes y Tuduriaid trafferthus
A chau'r drws yn glep ar y Stiwartiaid syrffedus.

Dim rhagor o sôn am gecru am grefydd
A'r Catholigion a'r Protestaniaid yn casáu'i gilydd;

Nac am gosbi chwithig am droseddau trychinebus,
Na diodde addysg yr ysgolion ysglyfaethus;

Dim clebran am ffasiwn, na chwarae efo'r meirwon,
Dim erlid gwrachod na gwarthnodi tlodion;

Dim dilyn gwartheg gyda'r porthmyn i Lundain,
Dim fforio na morio gyda'r môr-ladron milain;

Dim chwarae 'sbort' trwy anafu anifeiliaid,
A dim straeon pathetig am y Piwritaniaid.

****

Ond, ar ôl darllen yr Hanes Atgas yma,
A mynd i deimlo yn fwy a mwy pethma,

Cofiwch un peth, ar ddiwedd taith mor syn,
Ry'ch chi'n gwybod MWY na'ch athrawon erbyn hyn;

A CHI, coeliwch neu beidio, yw'r arbenigwr afiach
Yn eich dosbarth – ar y Cyfnod Modern Cynnar, bellach.

FELLY – gwnewch yn siŵr fod PAWB, ac yn arbennig eich athrawon, yn cael gwybod hynny.

Oeddech chi'n sylweddoli fod

- Pen-ôl iâr yn gallu gwella pen tost?
- Gwraig yn Yr Oesoedd Canol yn gallu cael ysgariad os oedd anadl ei gŵr yn drewi?
- Rysáit arbennig i gael gwared ar chwain?

Darllenwch fwy am arferion afiach, ffeithiau ffiaidd ac ofergoelion od Yr Oesoedd Canol Cythryblus. Dysgwch am y Farwolaeth Fawr frawychus; y menywod milain; cosbau creulon y cyfnod ac am gestyll y concwerwyr cyfrwys.